SOLEIL

ÉDITIONS LA PEUPLADE
415, rue Racine Est — bureau 201
Chicoutimi (Québec)
Canada G7H 1S8
www.lapeuplade.com

DISTRIBUTION POUR LE CANADA
Diffusion Dimedia

DISTRIBUTION POUR L'EUROPE
Librairie du Québec à Paris (DNM)

DÉPÔTS LÉGAUX
Bibliothèque et Archives
nationales du Québec, 2015
Bibliothèque et Archives
Canada, 2015

ISBN 978-2-924519-03-5
© DAVID BOUCHET, 2015
© ÉDITIONS LA PEUPLADE, 2015

.

Les Éditions La Peuplade reconnaissent
l'aide financière du gouvernement
du Canada, par l'entremise du Fonds
du livre du Canada, pour ses activités
d'édition et remercient le Conseil
des arts du Canada, la Société de
développement des entreprises
culturelles du Québec (SODEC) et
le gouvernement du Québec, par
l'entremise du Programme de crédit
d'impôt pour l'édition de livres
du Québec (gestion SODEC), du
soutien accordé à son programme
de publication.

SOLEIL

David Bouchet

LA PEUPLADE **ROMAN**

À mon P'pa,
homme intelligent et capable

(...) et, une fois de plus, je dus me rabattre vers la littérature, comme tant d'autres ratés.

ROMAIN GARY

NE PAS SE RETOURNER

On peut rester longtemps sans rien se dire, Charlotte et moi, sans se regarder, juste être l'un à côté de l'autre, sans voir le temps passer. C'est seulement la présence qui compte. On est comme des vieux amis, c'est comme si on se connaissait depuis toute notre vie. Le silence parle entre nous. On écoute la ville, on observe les gens, on suit les nuages, on leur invente des noms et une histoire. Puis on revient sur terre, on trace des dessins avec des petites branches sèches dans la neige. Charlotte dessine beaucoup de cœurs, des cœurs pas très arrondis, presque carrés, avec des angles.

— Moi, je préfère devenir con que raté.

Charlotte s'arrête de dessiner, fronce les sourcils au-dessus de ses grands yeux noirs qui flottent et font comme deux billes d'orage au milieu de son visage. Je suis le seul qui la regarde comme ça. Parce qu'une personne qui louche, on n'ose pas vraiment la fixer dans les yeux. Ou jamais très longtemps. Et Charlotte, ses yeux flottillent comme si, du regard, elle suivait une mouche en vol.

— Pourquoi tu dis ça ?

— Je ne sais pas... Comme ça. Je pense à la vie.

Elle sourit, Charlotte, et là encore, ce sont ses yeux qui sourient.

— T'es *high* comme gars, toi ! Faudra que tu m'expliques... J'comprends pas toujours ce que tu dis...

Je voudrais bien lui expliquer, à Charlotte, mon idée sur cette idée, et le fait de vouloir devenir con, mais je n'en ai pas le temps. D'abord parce qu'il fait noir et que ça fait longtemps qu'on devrait être rentrés chez nous. Et puis parce que Charlotte bondit quand elle entend une sirène qui hurle plus bas sur le boulevard Saint-Joseph. C'est qu'elle a un lien intime avec les sirènes, Charlotte, et spécialement celles des ambulances. Elle ne le dit pas, mais je crois qu'elle a peur des ambulances. Ce n'est pas à cause de leur couleur jaune, ni à cause de leurs hurlements ou de leurs lumières aveuglantes. Non, c'est à cause de sa mère qui boit. Et aussi qu'elle a beaucoup d'autres problèmes dans la vie, sa mère. Des problèmes qui attirent les ambulances. Pour sa mère, attirer les ambulances, c'est comme une seconde nature.

Donc je lui expliquerais bien ma vision des choses et mon point de vue sur cette idée de con, mais je vois bien qu'elle est inquiète et elle s'en va, Charlotte. Elle fait des grands yeux comme si c'étaient eux qui entendaient la sirène, parce qu'ils servent aussi d'oreilles, parfois, ses yeux.

— Ce n'est pas une ambulance, c'est une sirène de police...

— Je sais pas... Mais faut que je m'en retourne là... Bye, Soleil !

— Bye, Charlotte !

.

Je ne m'appelle pas vraiment Soleil. Mais pour Charlotte, je m'appelle Soleil. Ça date de quand on s'est connus et qu'on a échangé des informations sur nos vies. Je lui ai dit que je venais du Sénégal, que je m'appelais Souleymane Gueye, mais qu'à la maison, on m'appelait tout le temps Souleye. Elle avait compris Soleil, Charlotte. Elle m'avait regardé avec ses grands yeux émerveillés et m'avait dit qu'elle n'avait jamais pensé à ça comme prénom, mais qu'elle adorait. Je n'ai pas insisté, j'ai pris ce nom qu'elle m'avait donné sûrement pour se réchauffer. Et depuis, elle m'appelle Soleil.

Alors je la regarde partir, Charlotte, s'éloigner sous les lumières orangées du parc Pélican. Elle devient de plus en plus petite jusqu'à tenir entre mon pouce et mon index, et quand elle passe derrière les condos de la 1ère avenue, juste avant la rue Masson, qu'elle disparaît complètement, je trouve que je n'ai plus rien à faire ici et moi aussi, je m'en vais. Je descends la butte enneigée, et la neige est toute orange de la lumière artificielle, et toute fraîche de ce matin. Pas très épaisse, un peu collante, peut être bonne pour faire des boules.

Je mets mes pas dans ses pas, mais comme elle a couru, ils sont trop espacés, ses pas, et je n'y arrive plus. Mais je n'ai pas vraiment envie de courir parce que chez moi non plus, ce n'est pas gai en ce moment. Avec P'pa qui vit dans le sous-sol depuis plus de trois mois et Mère qui fait tout pour l'en sortir.

Charlotte Papillon...

Quand on s'est connus, ça ne m'a pas surpris, j'ai cru qu'elle s'appelait vraiment Charlotte Papillon, comme moi, je pouvais m'appeler Soleil. Je trouvais ça joli, qu'on puisse s'appeler Papillon. Moi, à choisir un nom d'animal pour nom de famille, j'aurais voulu m'appeler Margouillat, ce lézard du Sénégal qui est mon animal fétiche. Soleil Margouillat... Ça aurait fait bizarre quand même. Après avoir acquis de l'expérience sur les noms de famille du Québec, je n'ai vu nulle part de Papillon. J'ai vu Lafleur, D'Amour, Côté, Bigras, Boucher, Couture, Léveillé, Prince, Latendresse, Bellavance, Ladouceur, Montplaisir et d'autres noms encore très poétiques, mais aucun Papillon. Alors, quand j'ai fait la remarque à Charlotte que Papillon, ce n'était pas un nom de famille québécois, j'ai d'abord pensé que j'étais stupide de lui dire ça, parce qu'au Sénégal il y a un proverbe très juste qui affirme qu'un nom de famille n'a pas de maison et peut passer sa vie à voyager. Charlotte, elle, m'a répondu : « Je sais, mon nom c'est Lachance, mais comme j'en ai pas beaucoup, je préfère Papillon. Et je te ferai écouter un jour pourquoi j'aime m'appeler

Papillon. » J'avais essayé de comprendre le lien, ou comment un papillon pouvait faire du bruit qu'elle me ferait entendre et qu'est-ce qu'elle voulait me faire écouter au juste. Mais c'est plus tard que j'ai compris, quand elle m'a fait écouter dans ses écouteurs de MP3 une musique incroyable : *Madame Butterfly*.

Ce n'était pas prévu que j'aie Charlotte Papillon comme amie. Ce n'était même pas du tout prévu que j'aie une fille comme amie dans ce pays. Plus âgée que moi en plus, treize ans contre douze. Mais c'est comme ça. Je sais en fait que j'ai toujours préféré la compagnie des filles à celle des garçons, parce qu'une fille, ça n'incarne pas (au Sénégal, « incarner », ça veut dire « frimer » ou « snober »), une fille, ça ne fait pas son malin, ça ne joue pas au con, ou c'est plutôt rare. Donc je ne sais pas pour Charlotte, notre amitié, c'est peut-être un hasard, mais Mère, ma maman, ne croit pas au hasard. Pour elle, il y a Dieu, le destin et les signes de la vie. Alors notre amitié, c'est peut-être un signe de la vie. Charlotte, elle, ne croit en rien ni en personne. C'est aussi que rien ni personne ne l'a aidée dans la vie, à part peut-être son oncle Henri, mais lui non plus, personne ne l'a aidé et il essaie de passer à travers les gouttes, comme il dit.

Charlotte est ma voisine. Elle habite avec sa mère, Denise, dans la maison d'en face. Elle et Denise vivent seules. Et quand je dis « seules », c'est pas pour rien : même ensemble, l'une à côté de l'autre, elles sont seules.

Denise, c'est une spécialiste du cinéma. Surtout quand elle boit. Et là, la sirène qui a fait courir Charlotte tantôt, c'est parce que Denise fait souvent son cinéma, soit qu'elle a trop bu et qu'elle a appelé le 911, l'hôpital ou le service social. Soit qu'elle ne se sent pas bien pour de vrai.

Denise ne va jamais bien, je crois, parce que Charlotte me l'a dit, elle est en équilibre sur sa vie, ça peut basculer à gauche comme à droite, car elle est dépressive. Ça veut dire que sa pression baisse tout le temps et qu'elle doit boire de l'alcool pour la faire remonter, c'est une histoire de vases communicants, enfin c'est ce que j'ai compris. Quand Charlotte est née, sa mère n'allait déjà pas bien. Mais Charlotte a quand même réussi à naître, et son père n'était pas là, à sa naissance. Il s'appelle André, son père, c'est tout ce que je sais. Elle ne le voit jamais parce qu'il ne va pas bien non plus, et qu'il habite sur la Rive-Nord. Charlotte est donc arrivée au monde sans que personne ne l'attende. Et je pense qu'elle a dû chercher très fort, à droite, à gauche, dans tous les sens, avec ses yeux de nouveau-née, pour voir si quelqu'un était là pour elle. C'est peut-être pour ça qu'elle a le regard croche, comme on dit ici. Car à l'école, j'ai appris qu'un nouveau-né a besoin qu'on l'attende, qu'on le regarde et qu'on lui souhaite la bienvenue, comme notre famille quand on est arrivés au Canada. Mais son strabisme, Charlotte, elle essaie de l'oublier, elle essaie de se battre tous les jours pour aller bien. « La vie est un combat », dit toujours P'pa, et avec tous les orages que Charlotte a vécus, c'est sûrement pour ça qu'elle est spéciale.

D'ailleurs, son strabisme, ce n'est pas sa seule spécialité. Elle a aussi des cheveux noirs comme la nuit et lisses comme de la soie. Sa peau est blanche comme du lait, tachetée de centaines de pépites de chocolat, ça fait comme un ciel étoilé, mais à l'envers. Et son regard, profond, mystérieux, mais jamais méchant. Sa mère a toujours raté les rendez-vous pour ses yeux. Parce qu'une femme qui boit pour oublier sa vie, elle oublie aussi sa fille, et même si on menace de la lui enlever, elle fait semblant quelque temps et elle retombe. Et elle menace même le suicide, Denise, pas un mois sans qu'elle le fasse, comme si le suicide, c'était sa raison de vivre. Et malgré les lunettes de correction qu'on lui a mis, c'était trop tard, Charlotte a gardé son regard. Comme pour dire : je suis comme je suis, et c'est comme ça que je vois la vie.

Au Canada, c'est la seule fille que j'aie vu loucher. Alors qu'au Sénégal, on en voit parfois, des gens qui louchent. Là-bas, on prend ça comme une action de Dieu, et on dit qu'il ne faut pas changer les destins qui sont tracés. C'est comme ça, on accepte les défauts que Dieu nous a donnés. Mais je me suis toujours demandé comment les gens qui ont un strabisme voient le monde qui les entoure. J'avais un copain comme ça, à Dakar, dans mon quartier, on se moquait de lui quand il loupait la balle au foot. On disait qu'il avait vu deux balles et qu'il avait tapé la fausse. On l'appelait *Bët*, ce qui veut dire « œil » ! Il n'aimait pas ça, alors il allait s'asseoir dans un coin pour pleurer et, nous, on continuait à jouer. C'est comme ça.

J'ai souvent entendu qu'un malheur n'arrive jamais seul. Il vient toujours accompagné d'un autre malheur, quelquefois pire. P'pa m'a dit un jour que les Japonais ont une expression pour signifier la même chose : *une piqûre de guêpe sur un visage en larmes.*

Alors que je remonte la rue Masson, direction la maison, c'est une vraie ambulance, cette fois, qui passe à ma hauteur, suivie d'une voiture de police, toutes lumières, toute sirène. Et elles tournent à la 5e avenue, mon avenue, celle de Charlotte. Là, ça doit être sérieux. Denise n'a pas l'habitude de faire venir en même temps une ambulance et la police. Bon, ce ne sera qu'une sirène de plus dans la vie de Charlotte. Elle n'est jamais à l'abri des surprises, Charlotte, sa vie est comme un film où il n'arrive que des choses impossibles, au moment où on ne s'y attend pas. Mais, elle, elle s'attend toujours à tout, parce que tout arrive, qu'elle s'y attende ou non.

Je tourne à la 5e et là, je tombe nez à nez avec Charlotte, qui revenait sur ses pas et me regarde bizarrement. Et tout est étrange parce que dans la rue, l'ambulance n'est pas à la même place que d'habitude. Et il y a deux voitures de police aussi, ça fait tout plein de lumières. Je comprends que ce n'est pas pour sa mère, tout ce mélange et ce remue-ménage. C'est devant ma maison, devant notre appartement, et il y a même un ruban jaune fluo, tendu en travers du trottoir, qui nous empêche de passer. Et une policière qui nous demande de changer de trottoir.

Charlotte dit que j'habite là, mais la policière ne veut pas entendre et ne nous laisse pas passer. Alors on traverse, et Charlotte me regarde et je sais qu'elle a peur, qu'elle ne veut pas rester là parce qu'elle peut supporter quand le malheur la touche, mais elle ne supporte pas quand il touche les autres. Elle préfère ne pas s'attarder sur le trottoir. Elle me fixe d'un air impuissant et je ne sais pas quoi lui dire. Alors bizarrement, je lui souris. Elle fait demi-tour et préfère entrer chez elle, où c'est tranquille pour une fois qu'elle ne s'y attend pas. Je la comprends, je voudrais la suivre et aller me cacher dans sa chambre, me faire tout petit et me glisser sous son lit, parce que là, la peur m'envahit.

Je me retrouve seul sur le trottoir, droit comme un poteau électrique sec et écorché. Je ne peux pas rentrer chez nous, c'est barré par les rubans, et je ne sais même pas si je veux rentrer. Je suis paralysé. Tout est silencieux. Mais ce silence est troublé par les gyrophares qui m'éblouissent et m'obligent à fermer les yeux. Il y a des va-et-vient d'ambulanciers et de policiers, l'un d'eux parle à la radio dans sa voiture, et vraiment, je me demande qui est mort parce que là, c'est comme dans un film policier.

Mais d'un coup, ce que je vois, ce n'est pas un mort sur une civière, ce que je vois, c'est P'pa enroulé dans un drap blanc, comme un fantôme, les poignets et les jambes attachés à une chaise très spéciale, inerte, la tête dodelinante, et porté par deux ambulanciers et un policier. P'pa n'est même plus noir, il est gris, d'avoir passé tant de temps au sous-sol. Ou peut-être que c'est lié à la peur, cette nouvelle couleur de peau. Les trois hommes le sortent de la maison. Je ne comprends pas pourquoi il est attaché et enroulé, mais plus tard, Mère me dira que c'est parce que P'pa s'était mis à devenir vraiment violent et que les policiers l'avaient visé avec un pistolet *Taser* et que ce pistolet électrique décharge 50 000 volts qui nous font perdre momentanément l'usage des muscles.

Ils embarquent P'pa dans l'ambulance et derrière, je vois Mère en larmes et ma petite sœur Lila aussi qui pleure. Et Mère qui m'aperçoit de l'autre côté de la rue reste bouche bée avec Lila dans les bras qui cache sa tête parce qu'elle a peur de toutes ces lumières et de tout ce monde-là. Derrière, de sa fenêtre, Charlotte voit tout ce qui se passe. Elle ne saisit pas tout, mais elle comprend sûrement que je lui ai menti, que je lui ai caché des choses depuis tout ce temps, surtout qu'elle avait bien remarqué que P'pa ne sortait plus.

Puis, les portes de l'ambulance claquent.

Sur la peur, on peut mettre le mot « peur ». Sur la douleur, on peut mettre le mot « douleur ». Sur la honte, le mot « honte ». Sur l'angoisse, « angoisse ». Mais là, sur tout ça d'émotions qui vient en même temps, dans les yeux de Mère, dans les pleurs de ma sœur et dans le fond de mon cœur, je ne sais pas quel mot on peut mettre. Ça n'a pas de nom, je crois. Et Bibi qui n'est même pas là, qui joue au hockey avec ses amis, je voudrais être à sa place. Oh oui, que je voudrais être à la place de mon grand frère en ce moment. Léger, sans souci, en train de courir, de sauter, de rigoler et ne rien ressentir.

Alors, comme je ne supporte pas ce que je vois, parce que cette émotion sans nom pèse très lourd, pour ne pas m'écrouler et me faire écraser, je me mets à courir, à courir et courir, et je poursuis l'ambulance qui vient de démarrer, parce que je ne veux pas que P'pa parte comme ça, parce qu'il n'a rien du tout, rien du tout, et que je ne lui ai pas dit au revoir.

— P'paaa ! P'paaa ! P'paaa !

Et les gens dans la rue me regardent, ahuris, pour essayer d'analyser et de comprendre c'est quoi ce petit Noir qui court en hurlant après une ambulance jaune. Et ce n'est pas un cauchemar ça, c'est la réalité. Et quand mes poumons me brûlent si fort que je crois que j'ai un volcan en éruption dans la poitrine, quand je suis presque sur le boulevard Saint-Joseph et que l'ambulance est déjà loin, que mon souffle ne peut plus suivre mes pas, et que mes pieds ne veulent plus avancer, alors je m'arrête. Je regarde le sol et je vois un grand trou qui s'ouvre sous moi, un grand trou noir et sans fond et j'ai envie de m'y jeter pour ne plus vivre, parce que c'est quand même très dur de vivre un cauchemar dans la réalité.

Ça fait un an et demi qu'on est à Montréal, ma famille et moi. Venus directement du Sénégal. On habite à Rosemont–La Petite-Patrie. C'est un joli nom, que Mère a tout de suite aimé, ça lui faisait penser à un jardin fleuri.

Quand on est arrivés à l'aéroport international Pierre Elliot Trudeau, la première chose qu'un Canadien nous a dit, un policier des frontières, c'est : « Bienvenue dans votre nouveau pays. » On n'était pas encore Canadiens, on était juste Sénégalais, mais ça faisait très plaisir d'entendre ça, parce que c'est vrai, on venait pour longtemps, on avait l'intention de s'installer profondément et de faire des racines ici, dans notre nouveau pays. Dès qu'on a franchi le guichet de police et qu'on a fini de faire la queue pour recevoir nos certificats de résidence permanente, parce qu'on est des vrais immigrants, des gens reçus avec des papiers en bonne forme, pas des clandestins, donc quand on avait enfin mis un pied de l'autre côté de la frontière, P'pa nous a regardés gravement :

— C'est une nouvelle vie qui commence. Tout se passe devant nous maintenant... Et surtout, il ne faut pas se retourner.

Je ne comprenais pas ce qu'il voulait dire par « ne pas se retourner ». Mon grand frère, Bibi, il s'est retourné parce que lui, c'est un têtu, il n'écoute jamais. Et comme P'pa ne lui a pas fait de remarque, alors moi aussi, discrètement, je me suis retourné. Mais je n'ai rien vu de spécial, juste une famille arabe qui faisait la queue comme nous et beaucoup d'autres gens, de toutes les couleurs, de toutes les origines, Noirs, Hindous, Chinois peut-être, et des Blancs qui parlaient une langue que je ne connaissais pas, assis sur les fauteuils où nous étions juste avant, et d'autres voyageurs du monde entier qui passaient derrière la grande vitre, des centaines de gens qui attendaient la police. Rien de spécial, finalement, pour ne pas devoir se retourner.

En fait, P'pa savait que ce ne serait pas facile et, pour lui, cela signifiait regarder droit devant, foncer la tête la première dans cette nouvelle vie, sans remords ni regrets, sans s'encombrer de souvenirs et des petits bonheurs passés. Surtout de ces bonheurs qui ne font qu'alourdir les soucis du présent, ça c'est Mère qui me l'a dit, parce que je lui demandais aussi sa version des choses, mais je crois que c'est P'pa qui avait dû lui mettre ça dans la tête, parce que Mère, elle adore le bonheur.

Quand je dis à Charlotte que je préfère devenir con que raté, c'est parce qu'après beaucoup de réflexion et de questions, et avec toutes nos tracasseries, j'ai pensé que devenir con était mieux que devenir raté. En nous arrachant à notre vie du Sénégal, à notre maison, à la rue de notre enfance, aux caresses de Mamoumy, ma grand-mère, P'pa avait de grands projets pour notre famille, de grandes ambitions. Et là, on dirait que tout tombe à l'eau. Ça vient de lui, cette idée. Il affirmait toujours que les cons ont plus de chances de réussir.

— Mais P'pa, ce n'est pas parce qu'on réussit dans la vie qu'on est con.

— Non ! Mais quand on est con, on a beaucoup plus de chances devant soi, parce que c'est une règle générale. La connerie étant la chose au monde la mieux partagée, il faut en profiter.

Et pour P'pa, aussi, « on est toujours le con de quelqu'un ». Je me demande de qui, moi, je suis le con ? Ça ne paraît pas, mais c'est très profond comme réflexion !

D'ailleurs, je me suis vraiment posé la question pour connaître le sens du mot « con » (ici, on dit « cave » ou « niaiseux »). « Con » a beaucoup de sens, et c'est un mot à ne pas mettre dans toutes les bouches. On n'a pas le droit non plus de le placer sur le Scrabble, quand on joue parfois avec Mère, on n'y pense même pas, ce serait trop honteux. Ce mot est vilain quand il sort de la bouche de mon frère ou de la mienne, et il ne sort pas encore de la bouche de ma petite sœur parce que justement elle est trop petite. En fait, on n'a pas vraiment le droit de le prononcer, ou seulement entre nous, en douce. Mais quand c'est un adulte qui le dit, c'est comme s'il avait prononcé le mot « nuage » ou

« journée », personne ne remarque. Alors j'ai regardé dans le dictionnaire, il y est écrit et expliqué. Eh bien ! ça veut dire *sexe de la femme*. C'est bizarre quand même, je n'aurais jamais pensé à ça.

Alors si je préfère devenir con, c'est que j'ai vraiment réfléchi, parce qu'évidemment je ne veux pas devenir un sexe de femme. C'est impossible, en plus. Et c'est étrange que « sexe de femme » soit devenu une insulte qu'on lance à quelqu'un. Au Sénégal, quand on parle de sexe de femme pour insulter, c'est toujours du sexe de la mère dont on parle et c'est pour dire qu'on va le déchirer, l'écraser, le pulvériser, ou plein d'autres misères encore. Mais sexe de femme ?

Je saisis maintenant pourquoi Charlotte ne m'a pas compris quand je lui ai dit ça. Mais moi je me fais à cette idée, et être raté, je crois que c'est pire que con.

En québécois, on dit « *loser* ». Ça vient de l'anglais, mais c'est devenu du québécois, comme « *fitter* » (s'adapter, s'ajuster), « *breaker* » (freiner) ou « *loader* » (charger).

Je n'ai pas la tête à ça, ni à niaiser ni à rigoler, mais aujourd'hui, à l'école, pendant le match de soccer à l'heure de la pause-dîner, on m'a traité de *loser*. Je n'aime pas ça et dans ce cas, je vais m'enfermer dans les toilettes. Je sais que ça signifie perdant, que ça veut dire quelqu'un qui rate tout ce qu'il commence, comme un raté. Quelqu'un qui n'arrive nulle part ni à rien. Ça ne me plaît pas, cette idée, parce que ça me fait penser à P'pa. Et je n'aime pas penser ça, parce que je sais au fond de moi qu'il n'est pas un raté. Et puis au moins, il est arrivé quelque part, parce que le Canada, c'est quand même quelque part. Au Sénégal, aujourd'hui, quand on parle de la France ou de l'Europe, les gens ne rêvent plus, alors qu'avant, ils n'avaient d'oreille et de cœur que pour l'Europe, c'était leur rêve migratoire. Si on leur parle de la Chine aussi, les gens ont peur, c'est loin et l'image de la Chine est encore chinoise, on pense qu'ils sont pauvres aussi, alors pourquoi émigrer chez les pauvres. Mais quand on parle du Canada, c'est autre chose, c'est une lumière. Les yeux s'ouvrent en grand, le cœur bat plus fort, c'est comme parler de la terre promise, un paradis lointain, où tout ce que les gens cherchent se trouve : argent, bonheur, sécurité, paix, éducation, liberté et tous les bons mots qui manquent dans beaucoup de pays du monde.

Je ne sais pas si P'pa est un raté, mais ça fait des mois que j'y réfléchis et c'est dur d'être le fils de son père dans ces cas-là. C'est dur, parce qu'un père, c'est un exemple, et là, mon exemple, il ne va pas bien : quatre mois de sous-sol, dont deux à creuser un trou, un drap de fantôme, une chaise de contention et maintenant, le voilà chez les fous.

Alors quand on me dit « *loser* », je ne me fâche pas, mais ça me reste en travers de la gorge, je ferme mon visage, je baisse la tête et je rumine toute la journée. Et quand je rentre à la maison, je vais encore me cacher aux toilettes, y'a que là qu'on est bien, je m'assois et je fais semblant de faire caca. Et je pleure, sans faire de bruit ni de larmes. Même les mots de mon frère Bibi ne me consolent pas, parce qu'ils sont trop faciles, ses mots, il sait bien les utiliser, mais ils ne me parlent pas. Bibi me connaît mieux que tout le monde et c'est vrai qu'il ne faut pas me lancer des choses blessantes gratuitement, car je déteste l'injustice. Lui, il se moque des insultes, elles ne le touchent jamais. Moi, je suis comme ça. Des fois, aussi, il me traite de mauvais joueur. Oui, je n'aime pas perdre. P'pa me disait, quand je pleurais après avoir perdu aux jeux de cartes :

— Si tu n'aimes pas perdre, arrange-toi pour gagner, mais ne nous gonfle pas...

Et Bibi m'a dit la même chose tantôt quand je lui ai raconté qu'on m'avait traité de « *loser* » parce que j'avais raté une pénalité. Et les mots de P'pa dans la bouche de Bibi, ça aussi, ça m'a fait penser à P'pa. P'pa ne voulait pas qu'on se retourne et je sais aussi qu'il ne voudrait pas que je me retourne sur lui dans sa situation. Alors je pleure au fond de moi-même et je ne laisse aucune larme couler. Je les essuie tout de suite, à leur naissance des yeux.

Charlotte n'est pas dans mon école. Sinon, je serais allé lui parler de cette histoire qui me pèse très lourd, malgré que Mère ne voudrait sûrement pas que l'on en parle. Je pense que Charlotte pourrait m'aider à comprendre et peut-être à trouver des solutions. Mais un père fou sorti d'un sous-sol et envoyé à l'asile, c'est très honteux. Je lui ai tout caché depuis le début et je me demande si j'oserais lui raconter tout ça maintenant. Quand on parle de ses problèmes, on ne sait jamais quelle traînée de poudre peut se produire après.

Ce qui m'arrive ce n'est pas exemplaire, car elle a vu pire, Charlotte. Elle est indestructible, cette fille. Je me plains, mais ma vie à côté de la sienne, c'est le soleil à côté de la nuit noire. Elle ne vit même pas comme un enfant. C'est elle qui fait les courses pour sa mère, c'est elle qui lave son vomi, ses habits, qui fait le ménage dans leur maison, qui fait presque tout parce que sa mère n'est plus capable de réalité avec l'alcool, et Charlotte s'arrange toujours pour que tout ça ne se voie pas quand il y a des gens du centre social qui viennent ou la DPJ qui contrôle. Elle ne veut pas qu'on lui enlève sa mère, parce que c'est sa seule mère et depuis tout ce temps, elle doit bien l'aimer quand même. Ce qui est drôle, c'est que le service social dit toujours : « Si vous continuez, ils vont vous enlever la garde de votre fille », mais moi, je vois bien : c'est la fille qui garde la mère. Et Denise n'est pas complètement folle, elle arrive aussi à se maîtriser, mais seulement, des fois, ça déborde du vase. Et c'est tout ça qui fait que Charlotte n'est pas une fille comme les autres, elle n'a pas d'amis, je crois, elle ne peut pas s'entendre avec des enfants normaux qui n'ont pas de problèmes, elle ne joue pas, elle est très sérieuse, son visage réfléchit toujours. Mais en même temps, je sens qu'elle est perdue. Son oncle Henri, il fait comme il peut avec son rôle d'oncle, mais lui aussi, il est pauvre, alors il n'est pas très bien placé pour l'aider. Et quand je pense à ce que Charlotte a vécu, alors je me dis que je suis bien avec ma famille, même si là, à penser à P'pa, je pleure assis sur les toilettes.

J'ai mal au cœur, parce que pour sa famille, P'pa voulait devenir quelqu'un d'autre, il voulait changer, progresser, se réaliser, être un genre de migrant que les gens regardent et admirent, mais au bout du compte, on voit qu'il n'y est pas arrivé. La première année, il s'est vraiment démené, il a beaucoup essayé, tourné dans tous les sens, mais comme il n'y arrivait pas, il est redevenu comme avant : grognon (en québécois aussi on dit « grognon »). Petit à petit, il s'est renfermé, ne voulait plus sortir, puis passait ses journées dans le sous-sol de notre appartement, à bricoler. Quelque temps après, il s'est mis à creuser un trou tout au fond et à s'y enfoncer chaque jour un peu plus, comme s'il voulait se laisser fondre dans des oubliettes : celles du château qu'il voulait construire pour Mère et nous. Il disait parfois qu'il est un raté. Il ne le disait jamais fort, pour pas qu'on entende, mais il le pensait fort, je sais, et moi, je ressens tout, même ce qui se passe dans les pensées. Mère, elle, n'y prêtait pas attention, parce qu'il est son guide, qu'elle l'aime, qu'elle croit en lui, et qu'elle voit en lui un homme aux idées larges et généreuses, comme un maître qui te fait aimer l'école.

On frappe deux coups à la porte des toilettes.

— Souleye, sort de là ! *Come on* ! Fais pas ton pauvre...

C'est Bibi. S'il me dit « fais pas ton pauvre », c'est parce qu'il se moque de moi encore. Quand j'étais petit, je confondais triste et pauvre et quand je voyais quelque chose de triste, je disais « c'est pauvre ». Et s'il dit « *come on* », c'est parce que ça fait américain, ça fait pas *loser*, et je sais, ça fait toujours bien de dire ça devant les autres, des mots américains. C'est devenu une habitude pour lui maintenant, de parler comme ça : *Check, come on, my god,* c'est *full chill,* c'est *LOL,* etc.

Alors je sors des toilettes, mais je tire la chasse quand même, pour faire croire que j'y étais pour de vrai. Maman n'est pas rentrée du travail. Je n'ai qu'une envie, c'est de me blottir dans ses bras. Mais je ne le ferai pas parce que je n'ose pas. Bibi me prend par l'épaule :

— *Come on,* Souleye, t'es pas un *loser,* crois-moi !

— Pourquoi tu ne dis rien pour P'pa ?

— Dire quoi ?

— Je ne sais pas, parler avec Mère, pour essayer de comprendre.

— Comprendre quoi ? P'pa a pété une coche, c'est tout !

— Ne dis pas ça... Il y a quelque chose, c'est pas normal...

— C'est *full* pas normal, c'est sûr... Il est malade... Qu'est-ce que tu veux ? Ou peut-être qu'on l'a marabouté, c'est ce qu'elle pense, Mère... Mais qu'est-ce qu'on peut faire ? T'as pas vu comment il nous chassait à la fin... Lundi, il m'a jeté la boîte à lunch à la figure. Je ne l'ai pas dit à Mère... Je ne sais pas moi ! T'as qu'à lui parler.

Je ne saurais pas quoi lui dire et je ne sais pas quoi penser. Et si ça doit se passer comme ça, alors oui, je me retourne. Je me retourne complètement et je me dis qu'on aurait mieux fait de rester au Sénégal, parce que même s'il n'y avait pas de perspectives et beaucoup de problèmes quotidiens, il y avait P'pa avec nous, et on mangeait ensemble et il rigolait avec nous. Et on vivait normalement. Et si je dois me retourner, alors je vais penser aussi qu'il y a plein de bonnes choses qu'on n'a plus. Et peut-être aussi qu'on a plus perdu que gagné. Parce que P'pa, il disait toujours quand on a quitté là-bas : « Vous trois, là (en parlant de nous, ses enfants), vous êtes perdus pour le Sénégal. » Mais si on est perdus pour le Sénégal, je me demande comment on va être gagnés pour ici, parce que maintenant, avec un P'pa sans coche, c'est une mauvaise nouvelle, et il y a comme des barrières entre nous et la vie d'ici.

.

Tout ça aurait pu commencer autrement. Ou se terminer autrement, si seulement Mère avait réussi à guérir P'pa avec les remèdes traditionnels de grand-Mère Mamoumy. Mais finalement, je pense que l'hôpital, c'est mieux pour lui. Et c'est mieux pour Mère aussi. Elle n'en pouvait plus.

Quant à nous, Bibi, Lila et moi, on va se débrouiller.

Mère, P'pa, Bibi, mon grand frère de quatorze ans, Lila, ma petite sœur hurleuse de trois ans, et moi, ici à Montréal, nous cinq, ça fait toute une famille. J'entends rarement mes copains québécois parler de leur frère ou de leur sœur : ils sont souvent enfants uniques. Moi aussi, je suis unique, mais ça ne m'empêche pas d'avoir un frère et une sœur. Au Sénégal, quand on est cinq, c'est une petite famille. Puis on a souvent des cousins et des cousines qui nous sont confiés à l'année par leurs parents qui ne peuvent pas bien s'en occuper, alors ça remplit la maison, ça agrandit la famille et ça fait beaucoup de vie sociale. Je n'aime pas trop ça, la vie sociale. Quand il y a beaucoup de monde tout le temps, ça fait du bruit, ça parle la nuit, ça occupe les toilettes, ça mange tous les fruits qui sont sur la table et toi, tu n'existes plus, ou bien il faut faire comme ma sœur pour exister : il faut hurler. Elle a compris comment se faire comprendre, elle. Quand elle crie, tout le monde l'écoute, et elle obtient ce qu'elle demande. C'est une bonne méthode pour s'affirmer. Je crois qu'elle est très maline, cette petite, je devrais la surveiller de plus près.

Moi, je suis un incompris. C'est pourquoi j'essaie toujours de me faire comprendre. C'est à cause de la langue française. Cette langue, moi, elle me fatigue. Si on pouvait s'en passer, alors je serais plus tranquille. Évidemment, je parle français depuis longtemps, mais mes parents sont toujours à me lancer « Souleye, qu'est-ce que tu dis ? Quoi ? Répète ! Articule quand tu parles. » Je voudrais leur répondre que la langue, ce n'est pas une articulation, c'est juste un muscle. Peut-être que ma langue n'est pas assez musclée.

Mes débuts au Québec, ç'a été la pire expérience de langue de ma vie. Parce que je ne parle pas beaucoup, mais je pense beaucoup, et quand je me mets à parler, c'est un peu long à mettre en route. C'est vrai, ma langue est comme collée, ma bouche ne veut pas s'ouvrir et les mots sont endormis. Il n'y a qu'au Scrabble, quand je joue avec Mère, qu'ils se réveillent. Peut-être, comme Charlotte, si je pouvais parler avec les yeux, ça serait plus facile. Et puis c'est à cause de ce problème de langue que je suis encore en sixième année. Quand on est arrivés ici, ce n'était pas facile, on m'a mis en classe d'adaptation et ça m'a fait perdre une année. Au Sénégal, on disait que j'étais fainéant, la maîtresse de l'école disait que j'étais un partisan du moindre effort. Mes parents m'ont envoyé consulter une orthophoniste (ici, on dit « orthopédagogue ») pour soigner ma langue, mais elle n'a rien constaté. C'est normal, elle ne m'a fait que des tests écrits et de logique, et ça, je suis très logique. Elle m'a juste recommandé de faire des efforts d'articulation, encore. Elle m'a donné à lire tout haut des phrases impossibles comme *À l'affût sous les feuilles le fou fouille la faille puis il file farfouiller le fief des filles* ou encore *Les quatre tchèques cachent quatre catcheurs*. J'avais l'air idiot à réciter tout haut ainsi, je m'entraînais en cachette, et Bibi se moquait de moi. Mes parents aussi disent que je suis fainéant, que j'ai une limace à la place de la langue. Mais ce qu'ils ne savent pas, c'est que j'ai un guépard dans la tête, un champion de la brousse qui court très vite.

Au début, j'ai donc eu tout un problème de langue avec des accents qui se mélangeaient, parce que même en faisant des efforts, on ne me comprenait pas et je ne comprenais rien non plus. C'était un choc. À l'école, les garçons et les filles de mon âge me regardaient comme si je parlais chinois, et pourtant, j'utilisais un français normal, avec des mots connus, mais eux, ils faisaient des moues bizarres et des mouvements d'épaules :

— Quessqu'y dit ? Tu comprends, toi ?

— Pantoute ! Il se prend pour Molière.

Et je restais seul au milieu de la cour. Bibi, il n'a pas eu de problème d'adaptation, il passe partout, lui, il joue au foot (ici, on dit « soccer »), il joue au basket, au ballon chasseur. Sa langue à lui, c'est le sport. La limace, Bibi, il ne l'a pas dans la bouche, mais dans le cerveau. Avec madame Sandrine, mon enseignante (je n'aime pas ce mot-là, il saigne), je faisais des cours de rattrapage pour rattraper cette langue québécoise qui allait trop vite pour moi. Mais elle non plus ne me comprenait pas. Elle faisait semblant, pour ne pas me blesser, et elle répondait toujours à côté de la plaque. Je passais pour un étrange étranger, parce que j'avais des mots comme « trébucher » ou « essencerie », et eux autres, ils avaient « s'enfarger » ou « station de gaz », et quand pour moi c'est « gâté », pour eux, c'est « magané ». Quand je dis « gomme », ils disent « efface », quand ils disent « gomme », je dis « chewing-gum », « ennuyeux », c'est « plate », et « la poubelle », c'est « les vidanges », etc. Ils disent aussi « j'ai tout' fait mon travail », ou « t'es ben cute », ou « on a parlé ded'ça ». Pour moi, c'étaient eux qui avaient des problèmes de langue. Les gens affirment que c'est du vieux français, le québécois, mais moi, je suis un jeune Sénégalais, et je parle le jeune français, alors je dois m'adapter.

On doit toujours s'adapter.

P'pa disait toujours que la chance du Sénégal, c'est d'avoir eu Senghor, le président poète et académicien français. Ce n'est sûrement pas facile de faire de la politique en même temps que de la poésie. Et beaucoup de Sénégalais étaient contre lui et pensaient qu'il était trop poète, pas assez homme d'État, trop français, pas assez africain, trop blanc d'esprit, pas assez noir. Mais pour P'pa, Senghor était un homme de paix, de tolérance, et c'était un incompris aussi. Il était noir, sa femme était blanche, il était catholique et il gouvernait un pays musulman, il était poète et il était président. Il était au milieu de tout. Grâce à lui, le Sénégal est resté un pays de paix et de fraternité, et beaucoup de Sénégalais sont très cultivés et occupent des postes importants dans le monde. P'pa dit que Senghor maîtrisait le français mieux que les Français eux-mêmes. P'pa et Mère ont toujours admiré Senghor qui leur a fait aimer la langue française et je crois aussi que c'est pour ça que j'aime les mots, le sens des mots et la vie des mots dans les phrases.

.

En mai, à notre arrivée, c'était le printemps à Montréal. Moi, je ne connaissais pas le printemps, ni les autres saisons. Je savais qu'on allait trouver quatre saisons ici, alors qu'au Sénégal on n'en a que deux : la sèche quand tout est jaune, et celle des pluies quand tout devient vert et que les gros nuages noirs portent une eau chaude comme sous la douche. En fait, à l'arrivée ici, on s'attendait à autre chose. Bibi m'avait fait croire que l'air était différent, plus pétillant, plus sucré, avec une odeur de chewing-gum. Bibi disait que le Québec, c'est l'Amérique et que c'est là qu'on a inventé le chewing-gum, et que les usines en fabriquent tant que les nuages sont des grosses bulles de chewing-gum, mais c'est le roi des sornettes et l'air est le même qu'à Dakar, peut-être un peu plus sec. Ce n'est pas qu'il ment, Bibi, c'est juste qu'il aime qu'on l'écoute, alors quand il ne sait plus quoi dire, il invente. Le printemps, c'était comme un hiver à Dakar. Tout de suite, j'ai eu froid et Mère aussi. Il faisait seize degrés, comme mon hiver sénégalais le plus froid. Je n'ose pas imaginer ceux qui arrivent en janvier sous la neige.

.

On était sur le trottoir de l'aéroport, avec tous les bagages qu'il nous restait, ceux qu'on n'avait pas laissés derrière nous. Parce qu'on a abandonné beaucoup d'affaires à Dakar, qu'on a données ou vendues. On s'est débarassés de nos jouets, de nos jeux et de nos déguisements (ici on dit « costumes », alors qu'au Sénégal, « costume », c'est avec une cravate et c'est pour les hommes d'affaires). Même P'pa, qui adore le jeu d'échecs, s'était séparé du sien. Peut-être que le mot « échec » lui faisait peur avec ce grand voyage qui se préparait. Mère, elle, avait conservé son Scrabble de poche, son jeu fétiche. C'est que les Sénégalais sont très forts au Scrabble et ils ont fourni beaucoup de champions du monde. Aussi, P'pa n'avait pas voulu laisser ses livres, il en avait fait une valise complète, la plus lourde. Il nous avait permis de conserver les nôtres parce qu'il ne veut jamais en jeter un. Il est très sérieux avec les livres, il déteste quand on écrit dessus ou qu'on les déchire, même quand ce n'est pas exprès. Un livre est sacré pour lui et il dit toujours : « J'aime les contes de feu, pas les autodafés. » J'ai mis du temps à comprendre le mot « autodafé ». Et maintenant que je connais sa signification, c'est le geste que je ne comprends pas. Sur le trottoir, Mère regardait P'pa et ma petite sœur voulait descendre de ses bras pour pousser le chariot qu'elle croyait être une poussette. P'pa a demandé un taxi, et puis un second taxi, à cause des bagages. Et on est allés habiter dans un hôtel à Dorval, près de l'aéroport, pour deux nuits, parce qu'il fallait bien dormir, et avec le décalage horaire, il fallait aussi que Mère se repose.

L'hôtel, Bibi et moi, on a pris ça comme des vacances. C'est qu'on était en vacances obligées, puisqu'on avait quitté l'école à Dakar avant qu'elle ferme, qu'ici on n'avait pas encore d'école et que c'était bientôt la fin des classes québécoises. Quand P'pa nous a dit que c'étaient des vacances prolongées, on s'est regardés avec Bibi et on n'a rien dit, mais on a beaucoup pensé du bien de ce voyage et de cette nouvelle vie.

L'hôtel n'a pas duré longtemps, mais on s'est bien amusés avec Bibi. Pendant que P'pa cherchait un appartement meublé, et que Mère se reposait avec Lila, on se promenait dans les couloirs en moquette et on faisait surtout de l'ascenseur et de l'escalier magique, ceux qui montent et descendent tout seul (ici, ils disent « mécaniques »). Les gardiens de l'hôtel nous chassaient et on a fini par se faire gronder parce que Mère a dit ça à P'pa et que ma sœur s'en est mêlée parce qu'elle aussi voulait monter et descendre pour jouer. Alors il y a eu la télé avec toute sa collection de chaînes, et ça nous a calmés.

P'pa cherchait et Mère l'aidait à chercher un appartement meublé, « pour la transition » comme il disait, parce que ça serait difficile d'habiter un appartement sans meubles. Ils ne parlaient que d'argent parce que trouver un appartement meublé, ça demande des moyens, et qu'il fallait faire doucement avec les économies qu'on avait. Peut-être, finalement, qu'on n'en avait pas ramené beaucoup, des économies. Peut-être que mes parents avaient triché sur le montant minimum exigé qu'un migrant doit emporter pour lui et sa famille. Peut-être aussi qu'on n'avait déjà plus d'argent du tout.

Après l'hôtel, c'est dans le quartier de Villeray qu'on a habité. Pas très loin du métro Jarry. Comme P'pa tergiversait et ne savait pas ce qu'il voulait comme appartement, c'est Mère qui avait trouvé cet endroit parce qu'elle voulait vite un chez-soi, même temporaire. C'était un quatre et demi. P'pa, les chiffres des appartements l'avaient complètement embrouillé, le nombre de pièces, les demis, le fait qu'une salle de bain, ça compte pour une moitié. Il disait que s'il avait bien prévu le voyage en regardant sur les forums d'Internet toutes les informations qu'on donne pour bien arriver, il n'a sûrement pas pu tout lire ni tout comprendre, donc certaines informations lui avaient échappé. C'est une femme qui travaillait à l'hôtel, une Sénégalaise aussi, qui avait transmis à Mère le numéro d'un ami qui connaissait une autre femme qui louait des appartements au noir, sans les déclarer, et donc moins chers. Alors pour économiser les économies, P'pa avait accepté.

L'appartement appartenait à une Québécoise qui se faisait de l'argent pas comme il faut avec les migrants. C'est P'pa qui nous l'a dit, et aussi qu'il ne pensait pas qu'on pouvait faire des choses comme ça ici. Parce que c'est vrai, P'pa avait tout un beau rêve du Québec, et Mère aussi ; ils croyaient qu'ils arrivaient dans un pays bien droit, vertueux, propre, plein de choses idéales et de bonnes intentions, et que les choses croches qu'ils avaient quittées ne pouvaient pas se retrouver ici. Mais en fait, plus tard, on verra qu'ils se trompaient.

Quand la Québécoise avait vu tous nos bagages, elle avait compris qu'on était une vraie famille africaine, qui venait de loin, pour longtemps et pas pour s'amuser. Elle nous avait remis des clés, P'pa lui avait remis un mois d'avance, sans reçu, et elle était repartie. Elle avait un immense 4x4 américain rouge de modèle Avalanche, je m'en rappelle parce que j'ai toujours rêvé des avalanches de neige, et plus tard, on m'a dit que c'était le genre de voiture que tu conduis quand tu travailles dans la construction et les travaux de routes. Mais beaucoup de gens n'aiment pas ça, au Québec, les grosses voitures, ils disent que ça pollue, que les gens qui conduisent ça sont des cons, des caves, des abrutis. Et c'est un peu aussi à partir de là que j'ai commencé à penser à ma théorie sur l'idée de con. Donc cette propriétaire de l'appartement avait une très grosse voiture de cave. Mais nous, on était innocents, on ne savait pas encore sur qui on était tombés, si elle était bien ou mauvaise, cette femme, et elle non plus d'ailleurs ne savait pas qui on était, bons ou tordus, ou juste de simples inconnus dont il fallait peut-être se méfier parce qu'on était Africains et que les gens ont toujours des idées mal placées sur l'Afrique et sur les Noirs. Comme quoi on parle fort, qu'on rigole pour tout et n'importe quoi, qu'on casse tout ou qu'on sent mauvais. Et plein d'autres croyances inquiétantes.

C'était par le couloir qui donnait sur l'escalier de secours qu'on pénétrait dans cet appartement. Il y avait bien une entrée sur la rue, mais elle était fermée et on n'avait pas la clé. Là, dans le couloir qui menait à notre porte, il y avait des dizaines de bouteilles vides de bière et d'alcool fort, elles étaient dans une caisse verte, jetées comme ça, et elles débordaient par terre, une était même cassée. Et alors, si j'avais su que ces bouteilles allaient nous causer des problèmes plus tard, et surtout si j'avais su qu'elles pouvaient me rapporter de l'argent en allant les échanger dans une boutique de Chinois (au Sénégal on dit « boutique de Guinéen », ici on dit « dépanneur », parce qu'il est ouvert tard et te dépanne quand tu manques de choses chez toi), alors je serais allé les échanger contre des sous. Mais je ne le savais pas encore. L'appartement sentait le hot-dog et la bière. P'pa a tout de suite dit que c'était les précédents locataires qui avaient laissé leur odeur et les bouteilles vides dans le couloir.

Mère avait entrouvert les fenêtres qui s'ouvraient difficilement et P'pa voulait qu'on les garde toujours ouvertes, pour aérer l'appartement et essayer de se débarrasser de l'odeur. Alors, Mère avait sorti de son sac un petit pot en verre et, du pot, avec une cuillère un peu noircie, elle avait sorti une boule d'encens du Sénégal, qu'elle avait mis sur un morceau de papier d'aluminium, puis elle avait déposé le tout sur la plaque du four électrique. Alors la boule de parfum s'était mise à fumer, la fumée qui sent bon s'était élevée d'un coup et l'odeur de la maison de Dakar était venue comme par magie se mettre dans les vieux rideaux du vilain salon de l'appartement de Villeray. C'est comme ça que Mère avait parfumé le début de notre nouvelle vie et c'est comme ça, alors, qu'on s'était sentis un peu chez nous.

Bibi et moi, on avait une chambre minuscule. On dormait tous les deux dans un lit d'adulte en bois très sombre, avec des sculptures étranges au-dessus de nos têtes, et on avait chacun une tablette sur le côté, comme celle du lit de l'hôtel, mais sans téléphone. On aurait dit une vieille chambre d'un vieux film, et ce n'était pas du tout gai parce que le lit grinçait comme une grand-mère et la couleur des murs était vert pâle, comme dans un hôpital. P'pa disait : « c'est vieillot ». Notre chambre n'avait pas de porte et donnait sur le salon où il y avait une télé carrée, pas plate, plus vieille que la télé qu'on avait à Dakar. Le matin, je me réveillais très tôt pour explorer les chaînes, parce qu'à l'hôtel, on avait eu vraiment beaucoup de choix sur la télécommande et Bibi et moi, on ne se met jamais d'accord sur les chaînes. Mais là, il n'y en avait pas beaucoup, aucun dessin animé (au Sénégal on dit « des Mickeys » pour dire « des dessins animés », même si ce n'est pas Mickey qui est dedans). Et vraiment, les programmes n'étaient pas intéressants pour nous, en plus que la moitié des chaînes parlait anglais. P'pa était content parce qu'il pensait qu'en venant ici, on parlerait anglais. Mais d'abord, moi, j'avais ce problème de québécois avec cet accent aigu à régler avant de commencer à m'attaquer à l'anglais. Avec les chaînes québécoises, on s'était mis à écouter la télé parce qu'il fallait faire plus d'efforts pour comprendre ce que la télé disait que ce que la télé montrait. Et c'est par la télé qu'on a découvert le Québec et surtout la langue. D'ailleurs, ici, on dit « écouter », « écouter la télé », « écouter un film ». Nous, au Sénégal, on écoute la radio et on regarde la télé. Peut-être qu'ici les oreilles sont prioritaires.

Mes parents avaient la seule vraie chambre de cet appartement parce qu'en fait, on s'était fait piéger sur le nombre de chambres. Notre chambre à nous, les garçons, c'était le salon qui se prolongeait. Lila dormait avec mes parents. Plus tard, ils ont acheté un lit dépliable dans un magasin d'occasion (comme on dit, « de seconde main »), Renaissance, et ils ont mis ma sœur dans le lit, mais elle ne voulait pas, parce que déjà le déménagement entre le Sénégal et le Canada, c'est tout un bouleversement dans la tête d'une petite fille, mais alors changer de lit ! Finalement, Bibi a réussi à la convaincre, parce que c'est toujours lui, l'ambassadeur avec Lila.

C'est un long travail de patience et de courage que de parler avec une petite fille hurleuse. Car quand elle hurle, elle n'entend pas ta phrase, il faut répéter et c'est fatigant. Mais si, d'un coup, tu te mets à parler doucement, comme elle est curieuse, elle diminue les cris pour savoir ce que tu dis. Si ça ne l'intéresse pas, elle reprend les cris. Ce n'est pas simple, comme dialogue. Alors moi, je ne lui parle pas, parce que déjà parler, ce n'est pas mon fort, mais alors crier par-dessus tout, c'est encore pire. Ce que je fais, c'est que je lui cause avec les mains, quand elle dort. Là, je suis sûr qu'elle m'écoute et qu'elle me comprend. Sa peau est douce comme une mangue jaune à peine cueillie. Quand je passe mes doigts sur son visage qui dort, ses yeux fermés se mettent en mouvement, c'est sa façon de me répondre. C'est notre langage. Mais Bibi, il ne sait pas que j'ai ce langage avec elle. Lui, il joue le grand frère, il fait le grand et parfois il incarne. Sinon je l'aime bien, cette petite sœur, même si elle prend pas mal de place et fait beaucoup de bruit. Parfois, elle veut me faire goûter ses céréales ou sa banane, et ça, vraiment, c'est touchant pour une gamine de trois ans. Et quand elle est contente, pleine de joie, elle sautille dans tous les sens en chantant comme un oiseau. Je trouve étrange ce bonheur parce qu'il n'est provoqué par rien. Il arrive comme ça. Aussi vite et bizarrement que ses cris.

Grâce à Bibi, Lila avait fini par s'endormir plus facilement dans son lit pliable et mes parents avaient ainsi commencé à se reposer parce qu'ils n'avaient pas bien dormi depuis notre départ du Sénégal et même depuis deux mois avant notre départ, parce que c'était très encombrant pour le sommeil de changer de vie et de préparer un si long voyage.

L'objectif numéro un, ensuite, c'était de trouver une maison, ou un appartement, qui allait être notre maison pour de vrai, un chez-soi à Mère, qui lui convienne et la remplisse de fierté. Où Lila aurait une chambre et où on pourrait s'installer et défaire nos bagages, toujours très emballés depuis notre départ. On avait dix sacs et valises, mais P'pa, qui est malin, il s'était organisé pour qu'on n'ouvre que deux valises, où il avait mis toutes les affaires urgentes, qu'on devait porter le matin ou le soir, ce qui fait que les autres valises, avec des choses moins urgentes et des souvenirs, il les avait glissées sous les lits, en attendant que leur contenu retrouve l'air libre.

On ne les avait jamais vus comme ça. Nos parents se mécanisaient, ils commençaient à ressembler à des robots vivants, parce qu'ils faisaient des choses sans réfléchir, et c'était une nouvelle vie automatique qui commençait. Et nous, on n'a jamais été aussi collés à eux, aussi proche d'eux. C'est-à-dire qu'au Sénégal, on avait des nounous qui s'occupaient de nous et de toutes les choses quotidiennes, des repas, des douches, des vêtements, des courses. Nos parents, c'était juste nos parents. Des fois, ils s'asseyaient à nos côtés pour dire comment faire les choses, et ce qu'il ne fallait pas faire, ou alors ils signaient les feuilles qu'on ramenait de l'école, ou ils nous emmenaient voir des amis à eux, des choses familiales comme ça. Mais je peux dire que dans ma vie au Sénégal, j'ai vu plus souvent ma nounou que mes parents. Eux, ils travaillaient et faisaient leurs affaires, on les voyait le matin ou le soir et c'était tout. Alors à Jarry, dans ce petit appartement de quatre pièces et demi, on était vraiment devenus une famille rapprochée, on voyait vivre nos parents en vrai et comment ils se débrouillaient, ou pas, avec leurs tâches quotidiennes, on les découvrait sous leur vraie nature. On voyait comment ils se fatiguaient vite à faire la cuisine, le ménage et toutes les choses des jours et des nuits, et nous aussi, du coup, on a mis la main à la pâte avec des choses qu'on n'avait jamais faites avant, comme la vaisselle, plier notre linge ou passer le balai. Alors c'était ça aussi, changer de vie, et c'était pas forcément marrant.

.

À l'étage de l'appartement de Jarry, il y avait une vieille femme blanche qu'on entendait rarement et qui, comme un fantôme, descendait toujours par l'escalier de secours pour sortir de chez elle. Elle passait devant notre porte d'entrée, que P'pa aimait laisser ouverte, pour que le climat, qui se réchauffait, entre dans la maison. Cette vieille femme jetait toujours un œil dans l'appartement en passant. C'était une petite vieille américaine typique, comme dans les films de cowboy, un peu recourbée avec sa tunique bleu ciel et ses cheveux gris blancs qui faisaient comme des vagues sur sa tête, mais elle était Québécoise. Quand on la croisait dans le couloir, elle répondait à nos bonjours. Alors, même si elle ne souriait pas, pour ne pas trop s'avancer dans la relation, parce qu'il faut toujours se retenir quand on ne connaît pas les gens, garder une distance, c'était pour nous une petite vieille assez sympathique. Et même si on savait que jamais on ne la reverrait, Bibi et moi, on avait eu envie de l'appeler Mame, ce qui veut dire grand-mère, pour lui donner son importance, lui montrer qu'on la considérait, parce que chez nous, au Sénégal, on respecte beaucoup les vieilles personnes et on ne les laisse jamais dans la solitude. Rien de plus. Et de son côté, cette vieille nous avait juste demandé de veiller à débarrasser les bouteilles de bière vides qui encombraient le couloir. Mais comme ce n'était pas à nous, les bouteilles vides, et qu'on ne savait pas comment s'en débarrasser, P'pa avait juste dit « oui ».

On avait un mois devant nous et P'pa cherchait cet appartement idéal. Sur Internet, au téléphone, sur les journaux gratuits. Avec Mère, ils s'engueulaient (ici, on dit « se chicaner » et c'est plus joli) parce que P'pa visitait toujours tout seul les appartements, comme Mère nous gardait, et quand il revenait, il faisait non de la tête, trop petit, trop haut, trop cher, trop vieux, trop toujours quelque chose, et Mère disait qu'il était trop compliqué, P'pa, et qu'elle voulait aussi visiter les appartements. C'est comme ça qu'on avait commencé à visiter les appartements en famille. Et c'est ce qu'il ne faut surtout pas faire. Parce qu'on est une famille africaine et ça, une famille africaine, on a beau dire, ça n'a pas bonne image quand même. Une famille de Noirs qui se présente à votre porte, ça crée la surprise. C'est que P'pa, il a l'accent français, parce que c'est un Sénégalais qui a grandi en France. Donc quand il parlait au téléphone avec des propriétaires pour prendre des rendez-vous, on le prenait pour un Français, et les Français ont la réputation d'être des gens assez riches au Québec, qui paient de bons loyers, mais quand ils voyaient une famille noire alors là, c'était comme une casserole qui déborde. On le voyait bien dans le visage des propriétaires, un mélange de surprise, de crainte et de gêne. Ils nous demandaient si on venait de France, ou des Antilles.

Une famille de Noirs, c'est une urgence, ça provoque de l'inquiétude. Et nous, on ne savait pas encore qu'on pouvait nous prendre pour des Haïtiens, parce que, ici, les Haïtiens sont les Noirs dont les gens se méfient le plus. Alors les gens nous regardaient, nous inspectaient de haut en bas, surtout nous, les enfants, et c'est là que mes parents ont compris que ça n'allait pas être facile. En plus, il fallait trouver un rez-de-chaussée, c'est-à-dire un appartement au ras du sol pour ne pas gêner les gens qui sont en dessous. Et puis, comme on n'avait pas de voiture, il fallait habiter pas trop loin de la ville, et il fallait au moins un cinq et demi pour se loger correctement, des pièces pas trop allongées aussi, une cuisine avec électros, une salle de bain qui convienne, et alors avec toutes ces conditions, ça limitait les possibilités, on pensait qu'on ne trouverait jamais. On a arrêté les visites en famille, on s'est limités, et P'pa a continué à chercher, tout seul, avec sa chemise décontractée et son accent français.

Pendant ce temps, avec Mère, on allait faire des tours dans les parcs. Elle nous emmenait tous les trois pour nous faire découvrir les espaces verts du Canada. Parce que ç'avait été son rêve, elle qui est jardinière. Et c'était toujours son rêve, les plantes, les arbres et la nature. Et c'est vrai que c'était incroyable, à Montréal. En pleine ville, on voyait la campagne. Comme dans les Mickeys, tout était parfait et propre, bien taillé et bien dessiné. Et il faisait un temps très bleu et chaud, parce que c'était le mois de juin qui commençait et les arbres et les herbes étaient comme dans une fête. Dans le parc Jarry, il y avait plein de jeux rien que pour nous, on se balançait, on sautait dans des toiles d'araignées faites de cordes, on grimpait dans des châteaux en tube, on glissait sur des pentes qui tournaient, c'était comme si tout un monde fantastique avait été créé rien que pour nous.

Quelques jours après notre arrivée au Québec, tata Amina, la sœur de Mère, nous avait envoyé de l'argent par le biais de P'pa pour nous payer une Nintendo DSI, et comme avec Bibi on avait de l'argent de poche qu'on avait économisé aussi, on avait pu se payer chacun une Nintendo DSI. On est allés dans un magasin Vidéotron Super Club et là, c'était comme dans un rêve, parce que ça faisait longtemps qu'on entendait parler de la DSI, mais là, on a pu les toucher et jouer avec, puisqu'elles étaient à nous. P'pa était d'accord qu'on passe des heures dessus, puisque la télé ne faisait pas le programme. On restait tranquilles dans cet appartement trop petit, et c'était facile pour nos parents de faire les parents. P'pa continuait à chercher l'appartement familial. Et Mère était pressée de quitter cet appartement moisi de Villeray qui sentait tous les gras de la cuisine et où elle gaspillait son encens venu du Sénégal pour donner aux voisins une meilleure image de notre odeur.

Un jour que Mère nous avait emmenés chez des coiffeurs haïtiens de la rue Jarry qui nous avaient fait une coupe à la mode mohawk, P'pa était rentré plus tôt parce qu'il avait trouvé une maison et pensait cette fois que c'était la bonne. Il était seul dans l'appartement à ranger des choses quand il avait entendu des bruits de bouteilles dehors. Alors, il avait ouvert la porte qui donnait sur le couloir et il avait vu un homme, comme un *boudiouman* (c'est un mot wolof-gambien et au Sénégal, c'est celui qui fouille les poubelles, qui vit de recyclage et qui, au pire de sa situation, dort dans des grottes près des plages. D'ailleurs, au Sénégal, on a beaucoup de mots qui viennent du gambien, et comme le gambien, c'est une forme de wolof mélangé à l'anglais, ça fait des mots étranges dans le parler de tous les jours. Il y a par exemple *guèl* qui veut dire « fille », qui vient de *girl*, il y *nix* qui veut dire « rien » comme en anglais et il y a aussi *tow*, qui veut dire « 1000 francs CFA » et qui vient de *thousand*). Cet homme avait une moustache noire et, sur la main, un tatouage qui faisait comme une poulie mécanique ou une grue, c'est P'pa qui nous a dit ça. Cet homme rassemblait les bouteilles dans un sac en plastique, il les ramassait en quelque sorte, comme n'importe quel *boudiouman* de Dakar, et P'pa lui avait parlé pour le remercier, parce qu'il ne savait pas comment s'en débarrasser, et que s'il voulait, il pouvait tout prendre. Puis P'pa avait refermé la porte. Alors la sonnette avait sonné et c'était encore le *boudiouman* qui demandait à P'pa s'il n'avait pas un autre sac en plastique parce que le sien était déjà plein et les bouteilles vides débordaient. Alors P'pa lui avait donné un autre sac en plastique. Et il avait refermé la porte. Et voilà. Rien de plus. Mais c'est plus tard que ce passage de la vie de P'pa aura son importance.

Nous, on était rentrés avec nos coupes à la mode, aussi fiers que des petits Américains, et ma sœur était contente parce que Mère lui avait payé une glace, comme à nous d'ailleurs, mais nous, on l'avait déjà dévorée, et Lila, cette chipie, elle nous regardait avec sa glace et nous tirait la langue comme si elle était la seule à en avoir eue. Quand on était arrivés à l'appartement, c'est là que j'ai remarqué que dehors il n'y avait plus les bouteilles de bières vides dans la caisse de recyclage.

Retournement 4

Ça faisait deux semaines qu'on habitait à Villeray chez la femme à l'Avalanche rouge. Et avec sa recherche fructueuse, P'pa nous avait annoncé qu'il avait visité un appartement qui lui plaisait à Rosemont–La Petite-Patrie et qui correspondait à toutes les conditions. Le lendemain, pour que chacun soit rassuré et malgré notre handicap de famille africaine, on était tous allés visiter cet appartement. Parce que Mère avait dit qu'il ne fallait pas se cacher, que c'était important qu'on nous prenne comme on est. Après la visite, on avait donné notre accord à la propriétaire, une femme rousse très gentille, dont la famille était venue d'Irlande dans l'ancien temps, et qui aime beaucoup les enfants, même noirs. P'pa et la propriétaire s'étaient donnés rendez-vous le dimanche suivant pour signer le bail de location et comme ça, on allait enfin avoir une maison à nous, où on pourrait défaire nos bagages et retrouver notre vie personnelle avec ses objets et ses odeurs. Ils s'étaient serré la main avec la propriétaire et ça voulait dire que le marché était conclu.

On avait eu quelques jours de repos alors, parce qu'à la maison de Jarry, ça devenait plus tranquille maintenant qu'on avait une future maison. Mes parents étaient moins tendus. Mais ça n'avait pas duré, parce qu'il fallait maintenant penser à remplir la nouvelle maison avec un minimum de meubles. Pour avoir l'air de quelque chose, quoi !

Si je me retourne pas trop loin, je repense qu'en quittant Dakar, on a tout donné ou vendu. Les meubles que Mère aimait, les peintures que P'pa aimait, sa moto aussi, et même mon ballon de football. Mais ce ballon, c'est Petit Papa qui l'a récupéré. C'est mon cousin, Petit Papa, il a sept ans, c'est comme ça qu'il s'appelle. Il a pris le nom de son grand-père, donc du père de son père et c'est pour ça qu'il s'appelle Petit Papa. Donc comme on n'avait plus rien de notre ancienne vie, on devait meubler la nouvelle. À commencer par les lits, les oreillers, les chaises, les tables, la vaisselle, la télé, les étagères, les rallonges électriques, les lampes, les buffets, les armoires, les fauteuils, les tabourets, les tapis, les cadres au mur, les rideaux, les draps, les couvertures, les dessous de plats, les paniers à fruits, un ordinateur et une théière, et tellement de choses encore qu'on devait acquérir au fur et à mesure, que P'pa et Mère étaient assis à se prendre la tête à deux mains et me faisaient pitié parce que je ne savais pas par où ils allaient commencer, ni comment, et que moi, je me sentais inutile.

L'avantage, à Montréal, c'est qu'avec de la chance et un minimum d'indulgence envers toi-même, tu peux te meubler sur les trottoirs. Tu fais comme les *boudiouman*, tu ramasses. Mais ça, on ne le savait pas encore vraiment.

.

Le jour de la signature du contrat pour notre nouvel appartement, c'était aussi le jour du Grand Prix de Formule 1 de Montréal. J'entendais les voitures faire leur tour sur l'Île Notre-Dame quand le vent nous amenait le bruit des moteurs. Je rêvais d'y être, mais je n'étais pas dans le rêve. Ce genre de rêve se réaliserait plus tard, j'espérais. On est tous allés à Rosemont pour signer le bail pour l'appartement. Le loyer était cher et ça faisait mal à P'pa de lâcher une telle somme pour un appartement, mais avec tout ce temps passé à chercher et cette difficulté à trouver, on n'avait pas vraiment le choix. Et en plus, dans le contrat, la propriétaire avait ajouté tous les appareils électriques, et le chauffage et l'électricité aussi étaient inclus. Alors ça semblait une aubaine. De toute manière, on ne faisait que signer le contrat, car on ne pouvait venir habiter dans ce nouvel appartement qu'à la fin du mois de juin. La propriétaire avait quelques travaux à finir dans la cuisine. Et ici, c'est comme ça, tout le monde déménage en même temps, le premier juillet. P'pa avait loué Jarry jusqu'à la fin juin, donc ça tombait très bien. Il nous restait quinze jours à Jarry, juste le temps de magasiner des meubles.

Vers six heures du soir, ce jour-là, on est rentrés à Jarry. Mon frère, qui fait toujours la course, tout seul d'ailleurs parce que moi je n'aime pas ça, la vitesse, et parce qu'il gagne toujours, il avait pris de l'avance sur nous et était arrivé à la hauteur du couloir qui mène à l'entrée de l'appartement. Là, on l'a bien vu, parce que même Mère, elle a senti qu'il se passait quelque chose : Bibi, il avait mis la main devant sa bouche et s'était retourné vers nous avec des yeux pas normaux qui nous disaient qu'il avait peur. Parce qu'il est assez peureux, malgré qu'il soit grand frère. Il y avait des bouts de verre brisés au pied de la porte, la fenêtre vitrée était largement cassée et la porte de l'appartement était ouverte. Quelqu'un avait pénétré avec force et effraction. On nous avait cambriolés. P'pa est entré avant nous, pour vérifier si les voleurs n'étaient pas encore là. Je me suis demandé ce qu'il aurait fait s'il avait croisé le voleur dans une des pièces. Parce qu'une fois, au Sénégal, il a surpris un voleur dans la maison et il l'a assommé avec un bâton de berger peul avant d'appeler la police. Alors là, comme on était en Amérique, et qu'il n'avait pas son bâton peul, je me suis demandé comment il aurait réagi. Mais il n'y avait personne, et nous sommes rentrés. Il a demandé de ne poser les mains nulle part et de faire attention où on mettait les pieds. Rien n'avait bougé, bizarrement, pas de choses étalées par terre comme dans les films, et on aurait dit qu'on n'avait pas été cambriolés.

— Ils ont pris mon téléphone portable de Dakar, a dit P'pa.

— Mes bijoux sont là et ils n'ont même pas trouvé mon téléphone portable, a répondu Mère.

C'est moi qui me suis aperçu qu'ils avaient pris le lecteur vidéo de l'appartement et deux DVD de films que la propriétaire avait laissés ici. Le frigo de la cuisine était ouvert aussi. Mère a regardé dedans et elle a constaté qu'il manquait le paquet de cheddar tout neuf qu'elle venait d'acheter, et P'pa a dit qu'il manquait aussi la tablette de chocolat qu'il y avait mis. Parce qu'il adore le chocolat, comme Lila. Dans le frigo, il y avait une trace de doigt dans le beurre comme si le voleur avait mis son doigt dedans pour goûter. Ça, ç'a dégoûté Mère. Elle voulait jeter le beurre, mais P'pa disait que non, parce que ça pouvait être une pièce à conviction.

— Les Nintendo, les Nintendo !

Bibi avait hurlé, en pensant à sa seule fortune canadienne. On s'est précipités dans notre chambre. Tous les tiroirs étaient ouverts, et même celui de la commode où on avait mis nos chaussettes. Mais nos Nintendo étaient toujours là, celle de Bibi dans sa boîte renversée sur le lit et la mienne, sous le lit où je l'avais mise à charger. On s'est regardés avec un ouf de soulagement, parce que si on nous avait volé les Nintendo, qu'est-ce qu'on aurait fait de nos journées ? P'pa est entré dans notre chambre, il a regardé sous le lit et vérifié si nos valises étaient bien là, et il ne comprenait pas, parce qu'aucun sac et aucune valise n'avaient disparu ni même été ouverts, et que les voleurs semblaient n'avoir pris que son téléphone portable, les deux films DVD, le lecteur vidéo, le cheddar et le chocolat du frigo.

Nos bagages étaient là, intacts, et P'pa et Mère ne comprenaient pas le sens de ce cambriolage. P'pa a appelé la police, qui lui a dit qu'ils arrivaient. Puis il a appelé la propriétaire de l'appartement, mais il est tombé sur sa boîte vocale et lui a laissé un message. Alors on s'est assis sans rien dire. On était comme choqués, et mes parents se disaient que c'était incroyable, à peine arrivés, d'être cambriolés au Canada, qu'on ne pouvait absolument pas s'y attendre. Mais voilà, c'est comme ça aussi qu'ils ont compris que l'image qu'on avait du Canada était fausse. Leur idée s'écroulait et leur rêve venait encore de se retrouver par terre. Ils étaient comme assommés et découragés, et Mère pleurait toute seule et Lila ne comprenait pas. C'est très dur d'être cambriolés, Mère dit que c'est comme un viol.

La question de savoir qui avait pu faire ça et pourquoi turlupinait P'pa. Pendant qu'on attendait la police, et on a attendu presque trois heures, P'pa s'est rendu compte de quelque chose de plus grave. Les voleurs avaient pris son disque dur. Le disque dur de la famille. Parce qu'en partant, comme il avait donné son ordinateur à tonton Alou et qu'il voulait en acheter un autre au Canada, il avait pris un disque dur à la place. Il avait effacé tout son ordinateur et mis le contenu sur ce disque dur. Et quand je dis tout, c'est vraiment tout.

P'pa avait mis ce disque dur dans le tiroir de leur chambre, et maintenant, il n'y était plus. Il restait le câble d'alimentation et le câble USB. Ce disque dur, c'est une mémoire, comme un cerveau qui dort et qui sert de rangement pour toutes les photos, les musiques, les dossiers et les documents de mes parents. C'étaient des affaires très personnelles et familiales. Et là, sans raison, quelqu'un avait volé la mémoire de P'pa.

P'pa était assis sur son lit, la tête entre les mains, mais il ne pleurait pas. Et c'était dramatique, parce que c'était vraiment tout, nos photos d'enfance et toutes ses musiques sénégalaises et cubaines, ses vidéos et ses textes. Donc ce vol, c'était encore le passé qui s'effaçait. Et pour quelqu'un qui ne voulait pas se retourner, c'était comme un signe. C'était comme si une force était venue nous enlever ce qui nous restait de souvenirs. C'était un destin qui nous disait : voici le Canada, voici le Québec, voici Montréal, c'est votre nouvelle vie, oubliez le reste. On ne pouvait plus se retourner sur aucun passé maintenant, parce qu'il n'y avait plus rien à voir, à entendre et à comprendre. Cette disparition nous vidait complètement. Tous nos bagages étaient là, nos habits, nos chaussures, mais sans cette mémoire, on se retrouvait nus, comme des bébés qui viennent d'arriver dans leur nouvelle vie. C'est ce que j'ai compris en regardant mes parents. Seulement en les regardant. J'aurais voulu les serrer dans mes bras parce que c'était comme une blessure pour eux, mais sans douleur visible. P'pa et Mère étaient restés longtemps sans parler, jusqu'à l'arrivée de la police. Mon frère dormait déjà, parce que pour lui, la vie est simple, il dort, il mange, il s'amuse, mange et dort, et voilà. Donc même s'il avait bien consolé Mère, parce que lui, il est meilleur que moi pour les câlins et les sentiments, il s'était endormi et ronflait beaucoup. Lila aussi s'était écroulée dans les bras de Mère.

Le policier était comme dans les séries américaines qu'on regardait à la télé à Dakar. Un vrai *cop*, là-bas aussi, on dit « *cop* ». C'était comme s'il clignotait, il avait des ingrédients de police partout sur lui, accrochés à ses poches, à sa ceinture, à ses oreilles. Il avait un gilet pare-balles noir qui gonflait sa poitrine comme un super-héros et un pistolet luisant qui dépassait de son étui. J'étais vraiment impressionné, je n'avais jamais vu d'aussi près ce genre de policier. Ce héros a fait le tour de l'appartement rapidement, il a posé quelques questions à P'pa qui, lui, a tout répondu comme il fallait. Il a demandé si on connaissait du monde ici ou s'il y avait des voisins. P'pa a alors pensé à cette grand-mère à l'étage et il a dit au policier qu'elle serait sûrement un bon témoignage. Alors le policier est monté voir la vieille dame, accompagné de P'pa et ils sont redescendus presque tout de suite après. La vieille dame avait dit qu'elle avait vu quatre Noirs, trois hommes et une femme, sur le trottoir cet après-midi et qu'elle pensait que c'était des connaissances à nous, parce que les Noirs, ils sont toujours plein de monde. Alors P'pa est resté debout sans comprendre et en se demandant qu'est-ce que ces Noirs pouvaient venir chercher chez nous. Le policier s'est assis à la table de la cuisine et a dressé une liste de ce qu'on avait volé et même le chocolat et le cheddar. Sa voiture était garée dehors (ici, on dit « *parkée* ») et les gyrophares qui tournaient faisaient entrer la lumière bleue puis rouge dans l'appartement. Après nous avoir encore posé quelques questions sur notre arrivée ici, pourquoi et depuis quand et d'où vous venez, il nous a remis sa carte avec son numéro de téléphone et il est reparti. Il avait mené son enquête en cinq minutes et avait conclu que c'était un vol simple avec effraction. Je crois que même Lila aurait conclu la même chose. Mère avait demandé à P'pa ce qu'était un vol simple et elle attend encore la réponse. Moi, j'étais allé me coucher, avec ces images clignotantes de l'Amérique policière et des courses-poursuites. P'pa était resté tard dehors sur le trottoir pour essayer de comprendre. Il avait regardé les gens circuler, mais il n'y avait pas beaucoup de monde parce que c'était dix heures du soir et c'était un dimanche. Mère avait passé une nuit blanche à écouter tous les bruits parce que la porte ne fermait plus.

.

Le lendemain après-midi, la propriétaire était venue dans sa grosse voiture rouge, elle avait des bottes en cuir et un jean bleu qui serrait ses très larges fesses plates. De derrière, on aurait dit une vache déguisée en cow-boy. Avec mon frère, on avait rigolé, avant que Mère s'en aperçoive et nous fasse signe. Parce qu'on ne se moque pas des adultes au Sénégal, et Mère voulait que ça continue ici.

Elle avait fait une mine triste et perdue, la propriétaire, pour montrer qu'elle était désolée.

— Je comprends pas, c'est la première fois qu'un vol arrive ici... C'est vraiment *weird*... Vous trouvez pas ?

Il n'y a pas eu de réponse, mes parents se sont regardés. On ne connaissait pas le mot « *weird* ». Puis, elle est allée dans le garage d'à côté, et c'est là qu'on a compris que tout l'immeuble lui appartenait, même les deux garages. Là, elle a demandé de l'aide à P'pa parce qu'elle disait qu'elle s'était tordu la cheville le samedi passé, et pourtant, elle ne boitait pas. C'était un vrai foutoir de plein de bric-à-brac, et du garage, P'pa a sorti une porte, qui ressemblait vraiment à la porte que le voleur avait cassée. En général, c'est les clés de la porte qu'on a en double, mais elle, elle avait une porte en double. C'est comme ça que mon pauvre père a eu pitié de cette bonne femme et l'a aidée à monter la porte de rechange. Comme la vitre n'était pas la même, il a fallu la démonter, et la serrure avec, et c'est P'pa qui a fait la job. Ç'a pris tout l'après-midi parce qu'elle n'avait pas les outils qu'il fallait, et elle, elle le commandait et lui donnait des ordres comme si c'était son employé et ça, Mère, elle n'avait pas supporté. Parce que quand même, c'est un comble de gravité, on vous cambriole, on vous vole votre mémoire, vous ne dormez pas de la nuit, la propriétaire ne répond pas au téléphone et le lendemain, elle débarque avec ses bottes, son avalanche et sa mine étonnée, et vous laisse réparer la porte en vous donnant des ordres. Elle croyait peut-être que les Noirs sont des bons à tout faire, mais que pour leur faire faire les choses, il faut les bousculer ? P'pa a été faible ce jour-là, et Mère n'a pas aimé, parce que si cette propriétaire avait demandé à quelqu'un de venir pour réparer sa porte, elle aurait payé au moins deux cents dollars, et deux cents dollars, ça payait un nouveau disque dur pour P'pa, mais pas ce qu'il y avait dessus. C'est parce que P'pa était tout perturbé qu'il avait accepté de faire ça pour elle, et parce qu'il était nouveau au pays et qu'il voulait qu'on pense du bien de lui. Le soir, Mère était fâchée, même si elle ne disait rien, et cette expérience ne lui donnait pas confiance. Et P'pa restait silencieux, en mâchonnant dans sa tête.

Parce qu'il faut avoir beaucoup de confiance quand on est nouveau dans un pays. Et il faut toujours baisser le dos et les yeux, et accepter les petites injustices. Parce qu'il faut que les gens pensent du bien de vous, c'est votre image, et votre image est plus importante que vous puisqu'on ne vous connaît pas, alors vous devez bien caresser les poils et dire *amen*. Vous êtes tout neufs ici. Il faut être une ombre et se glisser sur les murs, ne pas regarder les gens, ne pas dire bonjour de trop près ni trop longtemps. C'est bonjour seulement. Un tout petit bonjour. Parce que nous, au Sénégal, on dit beaucoup de bonjours, et ça peut durer des heures. On demande des nouvelles de tout le monde et même de la fatigue, du corps ou des saisons. On veut savoir comment va le froid, le chaud, la rue, la famille, le travail, les affaires, les petits potins du quotidien, ça prend longtemps, dire bonjour, vraiment. C'est traditionnel. Mais ici, on ne serre pas la main, on dit juste « allô » comme au téléphone ou « bonjour », ou rien du tout... Il faut s'y faire, et pour cela, il faut regarder comment les gens font, observer et ne pas trop parler, chuchoter seulement, c'est Mère qui disait ça.

— Ici, si tout le monde marchait nu, alors nous aussi on marcherait nus...

C'est comme ça que Mère expliquait qu'on devait s'adapter. Alors Mère, qui coupait les oignons ce soir-là, avec beaucoup de bruits de nervosité et beaucoup de larmes aux yeux, je la sentais au bord de son tremblement. Et P'pa, assis dans le fauteuil gris pourri du salon de cette grosse bonne femme cowboy à l'avalanche rouge et aux bottes de cuir, P'pa regardait la télé sans son, sûrement en pensant à sa mémoire volée, et j'avais pitié de lui en silence. Lila mangeait des céréales sèches, c'est-à-dire sans lait dans son bol, parce que c'est comme ça qu'elle les mange, à la poignée, et elle en met partout. J'avais rejoint Bibi sur le lit de notre fausse chambre d'hôtel et je m'étais lancé dans une partie de Nintendo. Parce que ça, c'est toujours un autre monde.

.

Au cours des deux jours suivants, P'pa a cherché sa mémoire partout. Il pensait que le voleur, ne pouvant pas s'en servir, s'en serait débarrassé, sous une voiture, dans une ruelle, derrière une clôture, dans une poubelle. C'était triste à voir, parce que P'pa semblait complètement une autre personne, il n'avait pas accepté ce vol, et dans la rue, ses yeux fouillaient partout, et tout le monde pouvait être coupable. Si on m'avait demandé : « Qu'est-ce que ton père fait à regarder dans les poubelles ? » et que j'avais répondu : « Il cherche sa mémoire », alors on nous aurait pris pour deux types complètement dingues.

Une autre nuit, P'pa s'est réveillé parce que ses soupçons s'étaient réveillés aussi. Il avait pensé à toutes les possibilités concernant ce vol, la vieille du dessus, la propriétaire et sa voiture rouge, les Noirs de la vieille du dessus, le Chinois qui tient le dépanneur à l'angle de la rue, les maçons du chantier à l'autre coin de rue. Mais il n'y avait rien qui tenait normalement comme possibilité. Et surtout, qu'est-ce qui pouvait justifier ce vol de leur part ? L'affaire du vol de la mémoire de P'pa n'avait pas encore fini de livrer ses rebondissements. Parce que P'pa, il est tenace et ne lâche jamais. Sa gorge était restée nouée depuis le cambriolage, il ne parlait que pour dire l'essentiel, et avec Mère seulement. Les propos de la vieille voisine du dessus l'avaient troublé. Il était retourné la voir et lui avait demandé des éclaircissements. Et elle était restée campée sur sa position :

— J'ai vu des Noirs sur le trottoir, monsieur, qu'est-ce que vous voulez que je vous dise d'autre ?

— Mais des Noirs comment ?

— Des Noirs noirs... Tout noirs !

P'pa, ça ne lui suffisait pas, comme explication. Parce que c'était peut-être nous qu'elle avait vus, simplement. Et puis comment des Noirs, quatre Noirs, peuvent-ils entrer dans un appartement et ne voler que ce qu'ils ont volé ? Ne prendre qu'un morceau de cheddar et de chocolat ? Et ne pas prendre les deux Nintendo, ne même pas les voir, en fait, alors qu'elles étaient visibles ? Et comment ils peuvent laisser les sacs et les valises, sans même les ouvrir, et prendre dans le tiroir un disque dur qui ne ressemble à rien, juste à une boîte noire ? Comment ? Pourquoi ? Il avait trop de questions sans réponses, P'pa, et il n'aime pas ça. Peut-être que ces voleurs avaient confondu, qu'ils recherchaient quelqu'un d'autre, ou le disque dur de quelqu'un d'autre sur lequel il y aurait des secrets d'État qui valent très cher. C'étaient peut-être des drogués qui ne cherchaient que de l'argent. Il essayait de se donner des réponses à haute voix, pour dénouer sa gorge, alors que Mère lui disait d'oublier, que c'était une affaire étrange, c'est vrai, et que c'était peut-être quelque chose qu'il valait mieux ne pas découvrir, parce qu'il y a peut-être un mauvais sort derrière tout ça.

C'est que Mère, elle voit tout en mystique. Il faut toujours qu'il y ait une main invisible derrière toute chose, de la magie, un peu de sorcellerie, quelques gouttes de superstition, une pincée de religion, c'est la recette de Mère. P'pa, lui, il réfléchit toujours, il est terre à terre. Et de manière simple. Il aime ce qui est logique et carré. C'est son côté qui avait grandi en France. Alors il continuait de réfléchir à qui avait pu faire ce vol et pourquoi. Il réfléchissait à haute voix et on pensait avec lui.

Tout avait dû se passer très vite.

Rentrés, fait le tour, sortis.

Ceux qui avaient commis ce vol n'avaient pas préparé leur coup, et donc n'avaient pas surveillé les lieux. Comment une famille de Noirs comme nous, une famille d'immigrants qui vient d'arriver, peut intéresser des voleurs ? Des voleurs noirs en plus ? Les Noirs connaissent bien les Noirs. Ils savent que nous, venant d'Afrique, on est des pauvres économiques, on n'est pas intéressants, comme cible. Et sûrement qu'il était seul, le voleur, et qu'il était passé très vite, avait tenté sa chance, qu'il avait cassé cette fenêtre de porte d'un coup sec, après avoir vérifié qu'il n'y avait personne.

— Un opportuniste, avait dit P'pa. Et sûrement qu'il n'est pas noir ce type-là, parce qu'un Noir, ça vole mieux que ça, et plus que ça, c'est sûr...

.

Le samedi suivant, alors qu'on marchait tous ensemble vers le parc Jarry, on a croisé une femme qu'on aurait dit abandonnée. C'était une femme bizarre, une jeune, avec un pantalon jean déchiré, la tête rasée avec un tatouage sur le crâne et des boucles d'oreilles dans le nez. Vraiment, elle n'était pas belle à voir. Elle faisait peur. Elle avait un gros chien noir à côté d'elle, avec plusieurs chaînes autour du cou. Plus tard, Charlotte m'expliquera que c'est comme une ethnie à part qu'on appelle des grunges ou des punks, et qu'ils refusent tout sauf les pièces de monnaie. Alors cette pauvre femme fouillait dans les poubelles et partageait avec son chien les restes de sandwichs qu'elle trouvait. On l'a croisée et Mère ne voulait même pas qu'on la regarde, alors elle avait accéléré le pas. Peut-être par peur, parce que chez nous on ne voit jamais de Blancs qui fouillent les poubelles, et jamais de femmes, sinon des folles, et qu'on n'aurait jamais pu croire que ça existait, des Blancs qui fouillent les déchets et vivent la misère. Ça, c'était encore une image qui s'écroulait, et Mère ne voulait pas qu'on voie ce type d'images alors qu'on venait seulement d'arriver. P'pa a fait trois pas. Et il s'est arrêté. Il est resté tout droit. Il venait de comprendre. Mère lui a demandé de continuer son chemin, mais il était comme une statue, les yeux grands ouverts fixés dans l'air et il clignait des yeux comme s'il venait de trouver la réponse à l'univers.

— Je sais ! qu'il disait, je sais qui nous a volés.

Mère le prenait pour un fou parce qu'elle croyait que tout ça était oublié, ça faisait une semaine, cette histoire, elle ne voulait plus y penser, mais lui, ça n'avait pas quitté sa tête. Malgré qu'il ait perdu sa mémoire, il lui en restait encore un peu. Et en marchant vers le parc Jarry, il nous avait expliqué sa théorie.

Le *boudiouman*.

Nous, on n'avait pas su cette histoire parce qu'à ce moment-là, on était avec Mère chez les coiffeurs haïtiens de la rue Jarry. Le *boudiouman* qui avait ramassé les bouteilles vides, celles que les précédents locataires avaient laissées, ce *boudiouman*, c'était lui, notre voleur. Il en était persuadé, P'pa.

— Et alors ? Tu n'as pas de preuves. Et ça t'apprendra à parler à n'importe qui.

Mère lui faisait des leçons de vie, elle disait qu'ici, il vaut toujours mieux rester discret, il ne faut pas parler aux gens qu'on ne connaît pas, que ça lui apprendra à se mêler de tout. Mais P'pa tenait fort à sa théorie et selon lui, le *boudiouman* avait dû le prendre pour un Français, parce que P'pa avec son accent français, même s'il est noir, il fait français, et le *boudiouman*, il ne savait pas qui avait bu toutes ces bières et il s'était sûrement dit qu'ils devaient être nombreux, les gens qui faisaient le party dans cet appartement, sûrement des Français en vacances, et que ces gens-là doivent avoir les moyens, vu le nombre de bouteilles vides dans le couloir. Je me souviens qu'il y en avait au moins cinquante, plus des bouteilles de vodka. Le *boudiouman* s'était dit « ceux-là, la vie est belle ». Et il avait probablement pensé qu'il y avait plusieurs jeunes Français dans cet appartement, mais certainement pas une petite famille d'immigrants africains. Alors, quand on était allés à Rosemont signer le contrat, le jour du Grand Prix de Formule 1, lui, il était passé par hasard et s'était sûrement dit « Tiens, je vais taper à la porte. S'il y a quelqu'un, je demande s'ils n'ont pas encore des bouteilles vides. S'il n'y a per-sonne, ils sont sûrement au Grand Prix, et là, je fracasse la vitre... ». Ni vu, ni connu.

Ça tenait debout, cette hypothèse, et P'pa rageait tout seul en marchant vers le parc Jarry. Parce qu'un *boudiouman* ne connaît pas la valeur d'une mémoire, parce qu'un *boudiouman*, ça fouille dans le frigo, ça prend le cheddar et ça met le doigt dans le beurre, parce qu'un *boudiouman*, ça ne sait pas ce qu'est une Nin-tendo, alors ça ne la voit même pas. Mais ça confond un disque dur avec... Avec... Il ne savait même pas pour-quoi ce *boudiouman* avait pris sa mémoire et ce qu'il avait imaginé en prenant ce boîtier noir. Mais P'pa était maintenant sûr d'avoir identifié le voleur. Il était entré aussi vite qu'il était sorti, et en un éclair, il avait ratissé comme il pouvait et avait pris des choses au hasard, comme le vieux lecteur DVD de la propriétaire et ses deux films DVD, des choses qui n'ont aucune valeur, juste parce que c'est du matériel et que c'était venu comme ça, au bout des doigts.

La vieille du haut avait raconté des bobards dangereux parce qu'ils accusaient des Noirs et que c'est ce que le policier avait noté dans son rapport et que ce papier allait encore se coller avec tous les autres papiers dans les rapports du gouvernement et même paraître dans les journaux. Et que voilà, ça allait faire des généralités. Parce qu'ici, dans certains journaux, on ne dit pas « un homme a été arrêté » ou « un homme a braqué une pharmacie », on dit « un individu de race noire a braqué une pharmacie ». On précise : Noir. Comme en Amérique. Mère avait dit : « On est en Amérique du Nord, on va le sentir. » Je ne comprenais pas ce message. J'essaie encore de le comprendre.

Mais quand même, P'pa avait réfléchi et son histoire tenait debout. J'ai toujours pensé qu'il ferait un très bon détective. Moi, j'y croyais, à sa version. Seulement, il n'y avait pas de preuve, pas d'enquête, pas de trace de personne et c'était fini. Il fallait oublier sa mémoire. Mais ce n'était pas fini en vrai, parce que P'pa n'oublie jamais.

.

Quatre jours avant qu'on quitte l'appartement de Jarry, c'est une histoire incroyable, mais on marchait, P'pa, Bibi et moi, alors que Mère était avec Lila, parties acheter des draps et des choses de maison pour notre futur chez-nous de Rosemont–La Petite-Patrie. Moi, je me tenais à côté de P'pa, et Bibi il était devant comme toujours. Tout d'un coup, P'pa s'est arrêté :

— C'est lui... Là... C'est lui, le *boudiouman* !

Alors moi, à une dizaine de mètres devant nous, j'ai vu un homme de cinquante ans à peu près, habillé presque normalement en jean et en baskets, sauf qu'il avait des tatouages sur les mains et une vieille cicatrice sur le front. Son visage était un peu marqué, peut-être par ses années de poubelles et de bouteilles vides, et il avait une moustache noire, et il ne ressemblait pas du tout au voleur que j'imaginais. Parce qu'on imagine toujours un voleur. On l'imagine dans ses cauchemars, on le voit toujours flou, on crie après, mais aucun son ne sort, et on se réveille avec lui dans nos pensées. Mais une chose est sûre : on sait qu'il n'est pas comme ce *boudiouman*-là, devant nous. Moi, je l'avais imaginé sans couleur particulière, le voleur, parce qu'il n'y a que les adultes qui donnent des couleurs aux gens, et je l'avais imaginé grand et avec des longues mains et des gros doigts parce que le beurre. Et avec un ventre un peu gonflé, un peu dur, parce que le chocolat. Je lui voyais une petite tête pleine de vide, parce que la mémoire de mon père. Alors avec toutes ces particularités, je m'étais dit qu'il avait faim et besoin d'intelligence. Mais lui, là-devant, il ne ressemblait pas à ça. Il ressemblait à tout le monde, avec beaucoup d'ordinaire. Et il était blanc, même. Pas noir du tout.

P'pa est très spécial parce qu'il ne réfléchit jamais longtemps et il agit vite. Moi, je n'ai pas compris ce qui se passait, parce que P'pa était allé droit vers le *boudiouman* qui marchait et s'en venait vers nous. P'pa le fixait du regard, et le *boudiouman* avait baissé les yeux et avait dévié son chemin, comme s'il cherchait quelque chose vers la gauche, mais P'pa avait dévié son chemin aussi, pour aller à sa rencontre, et s'était mis devant lui. Ils s'étaient arrêtés tous les deux, face à face. Comme deux boxeurs qui se défient. Bibi s'était retourné. Et moi, j'étais derrière. Et P'pa regardait le *boudiouman* droit dans les yeux, comme ça, en gros plan.

— Le disque dur, tu en as tiré quoi ? Dix dollars ?

— Quoi ? Qu'est-ce que tu dis ?

Le *boudiouman* avait froncé les yeux en lui répondant et sans attendre, il avait détourné son chemin pour essayer de traverser la rue. Sauf que P'pa l'avait suivi :

— Et le Nokia de merde ? Quoi, cinq dollars ?

Si P'pa avait été blanc, il aurait été rouge parce qu'il brûlait de colère, et le *boudiouman* avait détourné la tête sans répondre, et ça, ç'avait énervé encore plus P'pa qui, alors, l'avait rattrapé par l'épaule. Le *boudiouman* avait fait un geste brusque avec son coude pour qu'il le lâche, et là c'était parti : P'pa lui a donné un coup de tête. Bibi a couru vers P'pa. Moi, je ne bougeais pas parce que je suis petit. Le *boudiouman* est tombé et s'est relevé, ils se sont pognés (on dit comme ça aussi au Sénégal, « pogner », mais ça veut juste dire prendre quelqu'un par le col de la chemise pour lui casser la gueule), et une belle bagarre a commencé, parce que P'pa, il ne réfléchit pas quand c'est urgent, et Mère le dit toujours, il est fonceur. Alors c'était sûr qu'elle serait très fâchée, parce qu'elle voulait qu'on ne se fasse pas remarquer, qu'on soit tout petits et tout discrets comme des ombres qui glissent sur les murs et là, ça faisait à peine un mois qu'on était au Canada et P'pa était déjà embarqué à l'arrière, dans une vraie voiture de police, blanche avec des gyrophares bleus et rouges.

La bagarre n'avait pas duré, car d'autres hommes étaient venus du chantier de construction à côté. Ils étaient trois, des latinos je crois, parce que leur langue sonnait comme de la musique, et ils les ont séparés, parce que Bibi et moi, on n'y pouvait rien, malgré mes cris et ses coups de pieds. Le *boudiouman* avait mordu P'pa à l'épaule, mais P'pa n'avait pas senti, parce que sa viande est dure, et c'est seulement après qu'il avait vu son sang sur son tee-shirt. Mon frère et moi, on était tous les deux avec plein de gens autour qui nous demandaient le pourquoi du comment, mais on ne savait pas quoi dire. Et puis il ne faut pas parler dans ces cas-là, parce que ça peut se retourner contre nous. Et P'pa était comme hagard parce qu'en tombant, il s'était cogné la tête et ça lui faisait une grosse bosse sur le front. Le *boudiouman* voulait repartir, parce qu'il savait qu'il était un *boudiouman*, et qu'un *boudiouman*, ce n'est jamais très clair, mais les ouvriers du chantier le tenaient, parce que c'était une affaire de violence sur la voie publique et ici, ils n'aiment pas ça. Et finalement, la police est venue très vite. Ils ont embarqué P'pa à l'arrière et le *boudiouman* aussi, parce qu'il y avait une suite à donner.

Une femme policière nous a ramenés à la maison quand on lui a dit qu'on habitait tout près. Elle a appelé Mère sur le téléphone portable et elle a attendu avec nous devant l'appartement de Jarry. Elle était gentille parce qu'elle nous parlait comme à des enfants, mais on ne comprenait pas bien tout ce qu'elle disait. Elle nous posait des questions pour nous amadouer et c'est là qu'on lui a tout raconté l'histoire depuis le début, depuis l'arrivée à l'aéroport. Bibi et moi, on a un peu joué les petits migrants malheureux, et sûrement que notre témoignage à cette femme policière a aidé P'pa, parce que les policiers l'ont relâché, et ils ont aussi relâché le *boudiouman*, faute de preuves, comme ils disent. Lui, le *boudiouman*, ils le connaissaient déjà, comme un receleur, mais encore une fois, il n'y avait que la théorie de P'pa sur ce vol de mémoire et là, c'était lui qui était en tort, qui avait commencé la bagarre, alors il a eu un avertissement et c'est comme ça que ça s'est terminé. Le *boudiouman* n'avait pas porté plainte, mais au fond, il aurait pu.

— Ils ont été gentils de te relâcher, parce qu'un Noir qui agresse un Québécois dans la rue, c'est vraiment le comble de l'immigration. Tu n'as vraiment rien dans la tête.

Mère s'était mise une fois de plus à pleurer parce qu'elle avait eu peur et Lila aussi avait commencé à pleurer parce que ça se transmet de mère en fille. Alors P'pa, découragé, était sorti prendre l'air et marcher. Et quand il marche et qu'il est énervé, il fume une cigarette.

Moi, pour essayer de calmer la situation, j'ai voulu proposer à Mère de faire une partie de Scrabble, puis j'ai changé d'idée, je me suis dit que les mots ne sortiraient pas et que la partie serait plate. Alors j'ai rejoint Bibi sur notre lit et je me suis lancé dans une partie de Bakugan sur ma Nintendo. Mais je pensais à P'pa, parce que j'avais peur qu'il recroise à nouveau ce *boudiouman* et qu'il se batte encore dans la nuit, parce que là, il pleuvait, et les ouvriers latinos étaient rentrés chez eux. Je pensais à P'pa, mais je ne savais pas bien pourquoi. Du coup, je n'étais pas concentré et j'ai perdu ma manche contre Gundalia et les douze ordres. Ce n'était que partie remise.

Quatre jours plus tard, on quittait le quartier de Jarry et on rejoignait notre maison d'aujourd'hui. Sans pouvoir imaginer un seul instant que P'pa allait plonger dans le sous-sol quelques mois plus tard pour finir par être embarqué comme un fantôme, drapé et ligoté sur une chaise.

Au début, je me suis demandé pourquoi on n'était pas allés vivre avec tous les Noirs, comme tous les Noirs qui immigrent, dans des quartiers où il y en a plus. C'est toujours comme ça quand les gens voyagent et changent de pays, il faut qu'ils se regroupent pour se tenir chaud au cœur et se souvenir d'où ils viennent, en faisant des fêtes avec leurs rires, leur musique et leur cuisine.

Mes parents avaient beaucoup réfléchi à comment ils voulaient que se passent leur installation et leur intégration. Et P'pa disait toujours, il ne faut pas se ghettoïser, mais moi, je ne comprenais pas, parce que « ghetto », c'est toujours un mot compliqué. Il voulait dire qu'il ne faut pas s'enfermer, rester sans contact avec les Québécois, si on veut que notre vie au Canada démarre comme il faut, pour bien s'adapter et comprendre les gens. Tout ça, au fond, pour essayer de devenir d'ici. Parce que sinon, jamais on ne sera des immigrés intégrés. Ça comptait beaucoup pour P'pa, parce que lui, il avait été noir en Europe, il avait grandi noir en France et il savait ce que ça voulait dire. Pour lui, il fallait absolument rentrer dans la peau d'un Canadien, d'abord pour avoir plus chaud l'hiver parce qu'ils ont la peau du froid, comme nous avec le soleil, mais je crois que c'était surtout pour nous qu'il disait ça, parce qu'il voulait qu'on devienne des gens d'ici (ici, on dit « des pure laines », mais je me suis renseigné, la laine c'est blanc quand ça sort, et la laine, c'est du mouton, et c'est rare, les moutons noirs, mais ça arrive et quand on dit « mouton noir », parce que j'ai regardé dans le dictionnaire de l'Internet, c'est toujours pour dire « pas comme les autres, différent, qui dérange et qu'on ne veut pas dans le groupe ». Alors moi, devenir un pure laine de mouton noir, je ne sais pas si c'est une bonne solution pour m'intégrer.)

Parce qu'en fait, à Montréal, il y a des quartiers où il y a beaucoup de Noirs. Je me souviens, c'est comme à Dakar, il y avait des quartiers où il y avait beaucoup de Blancs, d'autres endroits avec beaucoup de Libanais ou des quartiers de Capverdiens comme le quartier Baobab. Et souvent, les quartiers de Blancs ou de Libanais, c'est des quartiers riches. Mais à Montréal, les quartiers de Noirs, c'est des quartiers pauvres. Il faut toujours que le Noir, il soit pauvre et triste et misérable et qu'il ait plein de problèmes d'image. C'est toujours la même image et c'est celle-là que P'pa ne voulait pas. Avec Mère, ils avaient beaucoup lu de témoignages sur les forums, pour savoir ce qui se passait et où il fallait habiter, et ils avaient donc décidé de ne pas aller habiter là où habitent tous les Noirs. Même si c'est plus cher, même si c'est moins vivant, même si on nous regarde,

il fallait essayer de se fondre dans le Canada des Québécois. On est donc venus habiter dans un quartier où
il y a beaucoup de Blancs, qui parlent français ou québécois (ici, ils disent « le joual ») ou d'autres langues
encore, mais pas trop l'anglais. Et dans les rues, c'est
propre, y'a pas trop de bruit, les gens ne se voient pas
et ne s'entendent pas.

Et voilà, c'est Rosemont–La Petite-Patrie, un quartier tranquille, avec des familles qui n'ont pas de soucis,
ou alors ne le montrent pas trop, et qui vivent heureux
dans leur petite maison, avec leurs enfants et leur télé.
Parfois, ils ont des drapeaux du Québec tendus à la
fenêtre. Et ils ont une voiture garée devant, le long du
trottoir. Ils ont aussi des animaux. Surtout des chiens.
Parce qu'ici, la vie de chien, c'est une belle vie en maudit. Ça, c'est typiquement québécois comme expression, « en maudit », mais ce n'est pas tout le monde qui
doit l'employer. C'est-à-dire que les chiens ont une vie
ici qui est meilleure que la vie de beaucoup d'enfants au
Sénégal et ailleurs dans le monde aussi. Et je n'exagère
vraiment pas. Je connais beaucoup de talibés de Dakar,
ces petits enfants de la rue qui mendient dix-huit heures
par jour, qui préféreraient être chien à Montréal. Ici, un
chien, c'est un être à part entière. On lui doit respect
et politesse. On lui met un manteau et des chaussettes
l'hiver. Il a ses propres salons de beauté et de coiffure.
Il a des supermarchés rien que pour lui, où son maître
peut lui acheter des jouets, des coussins, des bijoux et

plein de gadgets. Il a des parcs qui lui sont réservés, où il est le roi : il y court, il y pisse et il y chie comme il veut. Il y rencontre aussi d'autres amis chiens avec qui il joue et aboie à volonté, pendant que son maître fume une cigarette avec les autres maîtres. Dans la rue, quand le chien chie, son propriétaire ramasse la crotte dans un sachet en plastique et la jette dans la première poubelle. À la maison, quand il perd ses poils, on les ramasse et on le caresse en souriant, le bon chienchien, en lui disant gentiment de ne pas se coucher sur la banquette du salon. Je n'exagère pas. Ici, c'est un pays de droits, et même les chiens ont des droits. Je me demande juste si les chiens aussi voient les humains comme des animaux à part entière. En tout cas, les Québécois savent comme c'est bon d'être chien chez eux.

Si je racontais ça au Sénégal, personne ne me croirait. J'ai essayé de comparer : au Sénégal, l'animal qui a la meilleure position et le plus de chance dans son malheur, c'est le mouton. Il a un peu la position du chien au Québec, mais un peu seulement. C'est l'animal domestique de beaucoup de maisons, mais comme il est sale et bruyant, il reste dehors, ou sur la terrasse, loin du fauteuil du salon en tout cas. Il est choyé quand même et on l'emmène régulièrement à la plage, accompagné d'une multitude d'enfants, pour lui faire prendre un bon bain. Tout le monde s'occupe de lui, le frotte, le peigne, il est aux petits soins. Mais c'est son dernier bonheur dans son malheur, parce que généralement, on l'égorge à la prochaine Tabaski, la fête du mouton au Sénégal. Ici, les chiens meurent tranquillement de vieillesse et quand ils meurent, on les pleure. On a même ouvert un service de crémation pour eux, je me suis renseigné, c'est qu'on brûle leur corps quand ils sont morts et les gens conservent dans un petit pot orné d'une photo les cendres de leur chien adoré. Quand on est arrivés dans ce nouvel appartement de Rosemont, il avait dû y avoir un chien avant, car malgré que la propriétaire ait dit qu'elle avait fait un ménage, on y a trouvé des vieux poils jaunes coincés un peu partout.

.

Cette nouvelle maison me paraissait grande comparée à l'appartement meublé de Jarry. Lila avait maintenant une chambre à elle toute seule et moi, comme d'habitude, je partageais la chambre avec Bibi, qui s'endort très vite et ronfle fort comme un tracteur. P'pa, il avait un bureau, mais sans bureau dedans, et Mère, elle avait une immense cuisine, où on pouvait même manger, parce qu'il y avait une petite table au milieu, mais pas de chaise. La maison était vide et quand on marchait, ça résonnait et Mère demandait de ne pas courir pour ne pas faire peur aux voisins, même si on n'avait pas de voisins en dessous, puisqu'on avait un sous-sol. Le sous-sol était tout en longueur, comme un tunnel et il n'était pas habitable, mais on pouvait y ranger plein d'affaires, y mettre les machines à laver et à sécher, et c'est là qu'il y avait la centrale de chauffage. Au fond de ce sous-sol, c'était tout sombre et humide et froid, et ça s'enfonçait dans le noir sans qu'on sache bien où ça allait. Ça faisait presque peur et Lila ne voulait jamais y mettre les pieds.

La priorité pour Mère, c'était de trouver du travail, et aussi d'obtenir les papiers pour trouver du travail, et puis des meubles pour se sentir bien chez soi, et aussi de nous inscrire à l'école. Et il fallait vite réserver une garderie pour Lila, mais les garderies étaient toutes pleines, parce qu'ici, c'est une affaire familiale, on y inscrit les enfants avant qu'ils naissent. Lila était née depuis longtemps, alors on avait trois ans de retard à rattraper. Et puis il fallait aussi avoir le téléphone et Internet, c'était une priorité, et la télé aussi, et tellement d'autres choses, que P'pa, il s'asseyait et regardait Mère avec toutes ces priorités, sans savoir laquelle était prioritaire. Le voyage était terminé, on avait posé nos valises, comme disait P'pa, mais l'aventure continuait. Bibi avait déjà trouvé un copain arabe au parc d'à côté. Alors je restais seul et je regardais par les fenêtres qui donnent sur la rue ou celle qui donne sur la ruelle derrière. Je vivais par les fenêtres. Mais je n'avais pas encore découvert Charlotte.

La ruelle, c'est un espace bien pour les enfants, parce que les voitures ne passent pas souvent. Mais il n'y avait pas d'enfants, sauf parfois un garçon qui

passait avec son vélo et ne me regardait pas. Je m'ados-
sais contre la barrière en bois sous un petit arbre qui
faisait des feuilles comme un arbre que je connaissais
à Dakar, mais ce n'était pas la même écorce sur le
tronc. Je restais seul pas mal de temps à imaginer la
ruelle comme si elle était au Sénégal. Je voyais alors
mes copains, Abdou, Papis, Khadim, Tidiane, Papa
Cheikh, Samory, ils jouaient et s'amusaient comme des
fous, et ils me regardaient comme si je m'étais mis de
côté parce que j'étais fâché. Ils me disaient de venir
faire le huitième joueur parce qu'ils voulaient faire un
petit-camp, quatre contre quatre. Un petit-camp, c'est
jouer au foot avec des cages réduites, délimitées par
des cailloux et sans gardien de but.

Je rêvais là. Ce n'est pas que j'essayais de me
retourner, mais c'était une façon de se retourner sans
se retourner, puisque c'était cette ruelle que je voyais
et elle était bien là devant moi. J'imaginais juste mes
copains dessus et je crevais d'envie de les rejoindre,
mais je savais que je rêvais et que je devais me ramener ici, maintenant qu'une autre vie avait commencé.
Alors je rentrais à la maison et je continuais ma partie
de Bakugan. Là, j'étais dans un autre monde, ni ici, ni
ailleurs. Un troisième monde que je comprenais et que
j'apprenais à maîtriser.

Aujourd'hui, je sais à quoi doit penser Mère, les questions qui lui passent par la tête. Et c'est normal de se poser toutes ces questions. Pourquoi ? Comment ? Et surtout, que faire maintenant ? Rentrer au Sénégal ? Ramener P'pa ? Le laisser là-bas, fragile et sans sa tête ? Le confier à qui ? Revenir ici sans lui et continuer notre vie de résidents permanents ? C'est comme si Mère et moi, on pensait la même chose, au même moment, parce que tout d'un coup, elle se met à parler toute seule, elle se parle, et elle nous parle aussi, tout en continuant à fixer le plafond.

— Je crois qu'il est trop tôt pour prendre une décision. Maintenant, tout le monde le sait. Votre père est malade. Il est aux mains des toubabs. Peut-être qu'eux, ils sauront le soigner... J'aurais dû appeler les médecins plus tôt, en parler au travail... Faire quelque chose au lieu de cacher, de rester là... À tâtonner avec... Avec...

Mère souffle de lassitude et d'inquiétude.

Ce soir, on est tous les trois allongés avec Mère sur son lit. P'pa n'est plus là. Il est interné. La maison est toute silencieuse et la télé est éteinte. On n'a pas mangé, sauf Bibi, revenu affamé du hockey, qui a avalé deux bols de céréales. Mon ventre est serré, aucune faim ne peut y rentrer et impossible de bien respirer. Lila s'est endormie. Mère a les yeux fixés au plafond, elle nous tient tous les deux par la main, Bibi et moi. Je me dis qu'heureusement qu'on s'a. Heureusement qu'on est soudés pour se tenir chaud au cœur, parce que vivre ça tout seul, loin des siens ou sans siens, ça doit être très dur et misérable. Et je pense à Charlotte, aussi. Quand sa mère est gelée ou qu'elle se frotte au suicide. Dans ces moments-là, Charlotte, je crois qu'elle connaît très fort la solitude. J'ai pitié d'elle et je voudrais même l'inviter à se joindre à notre bout de famille sur le lit et lui donner aussi du réconfort.

Mère est très solide. Trop, même. Plus que n'importe quel homme. Et elle nous protège avec sa solidité, parce qu'elle ne pleure pas, parce qu'elle réfléchit, elle reste digne, elle nous donne un bon exemple. Ne pas craquer. Ne pas tomber. Ne pas s'effondrer et se laisser mourir. Non ! Combattre la douleur, le doute, la peur. Avec l'amour. Et là, nos quatre cœurs qui battent sont comme un gros cœur qui bat tout seul pour notre famille, unie.

Je me demande ce qui a pu mener P'pa dans son trou d'abord et à l'hôpital ensuite. L'épisode de sa mémoire volée l'avait beaucoup marqué, mais quand même, de là à péter la coche... Bibi et moi, on n'ose pas vraiment en parler avec Mère. C'est un peu tabou. Et puis ce sous-sol, où il avait entassé tant de choses, et puis ce trou... Est-ce que ça restera sans réponse ? Est-ce que P'pa, un jour, pourra nous expliquer ? Est-ce que P'pa, un jour, nous reviendra ?

Rentrer au Sénégal, Mère dit que ce n'est pas la bonne solution. Nous avons fait beaucoup de sacrifices pour venir ici et ce serait comme un échec, comme une honte de rentrer au pays avec un père malade en plus et sans le sou. Les gens nous regarderaient de travers et là, c'est sûr, on passerait pour des *losers*.

— Nous resterons au Québec, nous resterons avec P'pa, nous continuerons notre vie déracinée, car les racines sont en nous et nous allons les planter ici et les faire grandir avec nous. Une chose est sûre, nous ne nous retournerons que quand nous serons suffisamment forts pour ça et alors nous pourrons mesurer la distance parcourue, le travail abattu, les obstacles franchis. Et regretter. Ou ne pas regretter.

Parole de Mère.

Alors on continue notre vie, l'école, la garderie, le travail, le parc, le Maxi. On essaie de s'habituer à ne plus avoir de père. Et il avait fait ça bien, P'pa, par étapes, pour nous permettre de nous adapter à son absence. Alors le quotidien continue et maintenant, la vie est plus légère, parce qu'au moins on sait que P'pa est entre de bonnes mains, avec des psychiatres, des infirmiers, des assistants, parce qu'il est suivi de près, qu'il dort dans un lit au chaud, parce qu'il mange équilibré et surtout, parce qu'ici, on ne plaisante pas avec la santé mentale. À la maison, on vit notre vie de tous les jours et on prépare pour la semaine prochaine notre première visite familiale à P'pa. Mère est allée le voir deux jours après la crise, les médecins l'avaient autorisée à venir, mais seule. Malheureusement, il était resté endormi tout le long. Là, elle espère qu'on le verra les yeux ouverts, les oreilles ouvertes, et qu'on pourra lui parler. J'ai le trac, parce que déjà, je ne suis pas très fort pour parler, et comme je ne lui ai pas dit au revoir l'autre jour sur sa chaise, je ne vais pas savoir comment lui dire bonjour. C'est comme dire au revoir à quelqu'un à qui tu n'as pas dit bonjour, ça fait croche. Et surtout si P'pa a les yeux fermés. Parce que les yeux fermés, c'est comme une bouche fermée, un cœur fermé, ils ne disent rien, ils ne sont qu'à soi et c'est comme si on parlait dans sa tête.

Lila est un peu malade, elle aussi, avec toutes ces péripéties et à la garderie, ils disent qu'elle est très agitée, instable. C'est vrai, ç'a dû la marquer parce qu'elle ne dort plus toute seule et passe ses nuits dans le lit avec Mère. Elle se lève la nuit en pleurs, elle réveille Mère, et puis tout le monde devient fatigué. Même Bibi est morose sous ses airs de tout passe, rien ne m'affecte. On s'accroche pour faire comme si de rien n'était, mais bien sûr, il y a des hauts et des bas. La vie continue. On prend, on lâche, comme on dit au Sénégal.

Mère fait maintenant laver et sécher le linge à la buanderie parce que nos machines sont en bas, et bien sûr, plus personne ne veut mettre le pied au sous-sol, faire un pèlerinage sur les lieux du malheur. Mais, vis-à-vis de notre propriétaire, il faudra bien y retourner pour reboucher le trou, au moins. Ce trou du mystère. J'ai essayé de m'y aventurer, au sous-sol, mais j'ai eu peur d'y croiser le fantôme de P'pa ou un autre esprit malin qui me tirerait par les manches et me retiendrait en bas avec lui. À peine en bas des marches, je suis remonté aussitôt. Je n'ai pas envie de creuser, moi, ni de me prendre une décharge de 50 000 volts.

Je suis toujours hanté par cette image fantomatique de P'pa sur sa chaise et des larmes sur les joues de Mère. Je suis hanté, parce que j'étais comme absent, étranger à cette scène et comme un vulgaire spectateur, un badaud sur le trottoir. Je suis hanté, parce qu'à ce moment-là, je me suis senti comme en équilibre sur rien du tout. Je n'avais pas la possibilité de me retourner sur notre passé, ni d'aller de l'avant, me réfugier dans les bras de notre nouvelle vie québécoise. Parce que je me disais que toute ma vie était comme le vent, invisible, insaisissable. Le temps s'était comme arrêté. L'espace comme anéanti. Je suis hanté, parce que je vois encore Charlotte derrière sa fenêtre ce jour-là, et elle aussi avait des larmes, mais des larmes intérieures, des larmes qui ne sèchent pas, des larmes intimes qu'elle porte en elle depuis sa naissance. Et ce jour-là, je l'ai lu dans ses yeux, ses larmes étaient pour notre famille. Je suis hanté, parce que je comprends que l'équilibre de la vie est fragile et qu'en un rien de temps, tout peut basculer comme tout a basculé pour nous.

Et Mère parle maintenant de déménager, qu'elle n'aime plus cette maison de Rosemont, qu'on ne peut plus y vivre et qu'elle ne supporte plus de marcher au-dessus de ce sous-sol maudit. Et que de toute façon, le loyer est trop cher avec le peu d'argent qu'elle gagne et les économies qu'on a bouffées. C'est une vraie crise qui se profile et ça aussi, je n'ose pas le dire à Charlotte. Pas encore. Pas maintenant. Parce qu'au Sénégal, un déménagement, c'est comme un départ, ça se cache. On n'en parle pas, on ne dit pas qu'on va quitter. On s'en va d'un coup et tout le monde nous cherche : « Ah ! ils sont partis. » Parce que dire qu'on prévoit de voyager, ça attire le danger sur le départ et peut-être que finale-ment des embûches se présenteront qui feront qu'on ne partira pas ou que ça se passera mal. C'est toujours qu'on ne veut pas exciter les langues et faire parler les jaloux. Parce que les langues et les jaloux, il n'y a rien de pire pour un projet. Et tout départ est un projet. Mère dit toujours : « Trop de confiance attire le danger. »

En plus, si on déménage, comment on va faire sans P'pa ?

Je me souviens que P'pa, dans les premiers mois, pour meubler l'appartement de Rosemont, il avait fait des kilomètres. Se meubler à Montréal, ce n'est pas très compliqué, mais c'est beaucoup de marche à pied. Comme c'était le début de l'été, c'était moins grave. Les gens se plaignaient d'ailleurs de la chaleur, mais nous, on rigolait. Ils installaient des climatiseurs aux fenêtres alors que nous, on dormait avec une couverture.

Ici, les gens jettent tout, dès qu'ils n'en ont plus besoin, ou quand ils changent d'idée, ou veulent une télé plus moderne. C'est fou. P'pa avait acheté un diable (drôle de nom pour ce petit chariot qu'on pousse à la main, comme ceux que poussent les vendeurs gui-néens à Dakar) et il ramenait tout un tas de choses et de meubles. Il faisait ça le soir, quand la nuit était venue, parce que c'était plus discret. C'est sûr que vis-à-vis du voisinage, ce n'était pas une belle image pour notre famille, se meubler de meubles ramassés.

Mère était un peu gênée, mais elle savait aussi qu'on était des immigrants et que la difficulté et la honte font partie de la première étape, et qu'après, si tout se passe bien, on pourra se payer des vrais meubles tout neufs et qui n'ont pas de taches ou de trous. Il n'y a pas que la rue, d'ailleurs, il y a aussi les magasins de seconde main pour les pauvres, mais c'est pareil à ce qu'on trouve dans la rue et tu le paies quand même. Et puis, il y a les ventes de garage. Ça, c'est très familial comme commerce, ça ressemble à une petite réunion de famille sur le trottoir et les gens déballent les vieilles choses qu'ils ne veulent plus garder et ils espèrent se faire quelques dollars avec ça. Chaque fois que j'en voyais une dans les rues du quartier, j'y faisais un tour. C'est que j'aurais bien voulu y trouver un jeu d'échecs pour P'pa, maintenant qu'on était arrivés. Les gens y vendent même des tasses pour noyaux d'olive et des jeux de cartes incomplets, on y trouve beaucoup de choses qui ne serviront pas, qu'on finira par ne plus vouloir aussi, et les bonnes affaires sont rares. P'pa disait qu'on deviendra vraiment d'ici le jour où nous aussi, on organisera des ventes de garages. On aura bouclé la boucle.

Lors de ses marches, P'pa avait tendance à ramasser beaucoup plus que ce qui était nécessaire, et Mère rigolait parce qu'elle le traitait de *boudiouman* et nous aussi on rigolait, sauf que moi je me souvenais du *boudiouman* à moustache et je n'aurais pas voulu que P'pa devienne comme lui. Il ramenait des paires de chaussures pour lui et pour Lila, des chaises, des tables de salon avec des rangements à journaux, des meubles un peu tordus et bancals qu'il voulait réparer lui-même, une machine à coudre de marque Bernina avec le mode d'emploi et le lieu et la date d'achat tamponnés dessus : *3445 Avenue du Parc, Montréal, 11 mars 1963.* Un autre siècle. Il y avait aussi une commode en bois pour nos habits, à laquelle il manquait une poignée, une télé Sony écran plat, un vrai cadeau du ciel, un canapé en faux cuir noir lisse et déchiré sur le côté, qu'il nous avait fait porter, mon frère et moi, en pleine nuit, depuis l'angle de la rue, et dans lequel Mère n'aimait pas s'asseoir parce qu'elle le trouvait froid, et un fauteuil d'aéroport, un vrai, de salle d'attente, parce qu'au dos il y avait marqué : *propriété inaliénable de Air Canada,* et il y avait un tampon : *inventaire n°1012C 0873 du 16 août 1973.*

P'pa ramenait des planches aussi, « pour faire des étagères » il disait, et des morceaux de bois et d'autres choses de plein de matières qu'il stockait dans le soussol, au fond où c'était sombre et froid. C'était comme s'il voulait devenir commerçant de toutes ces matièreslà, peut-être qu'il préparait sa future vente de garage. C'était drôle à voir, mais Mère était fatiguée de tous ces encombrements, elle devenait comme énervée et honteuse, et elle lui a demandé d'arrêter ce bric-à-brac. D'autant plus que Bibi et moi, on suivait l'exemple et on se mettait à ramasser tout et n'importe quoi et à se précipiter quand on voyait au loin des choses posées sur le trottoir. Ça faisait de nous les plus jeunes *boudioumans* de Montréal. Alors à la maison, tout était dépareillé, il n'y avait rien qui ne ressemblait à rien, et Mère, elle ne trouvait pas ça joli, vraiment, et elle avait raison, et surtout, elle disait qu'elle espérait mieux pour cette nouvelle vie. Mais il fallait qu'on fasse confiance à la patience : tout ça, c'était en attendant. P'pa me disait qu'en Côte d'Ivoire, les tongs (ici, on dit « des gougounes »), les gens appellent ça des « *en attendant* ». Parce qu'*en attendant* d'être riches, ils ont des gougounes. Ici, en été, tout le monde met des gougounes, les riches comme les pauvres, sans honte.

Et Mère, *en attendant*, de son côté, elle rêvait de la décoration de la maison avec les catalogues IKEA qu'on lui donnait gratuitement dans la boîte aux lettres, où il y avait plein de meubles bien dessinés et propres et colorés et qui se ressemblaient, et tout ça, ça lui redonnait un peu de l'espoir du migrant. Elle empilait les catalogues et les prospectus de marchands de meubles pour plus tard. Ça ne lui semblait pas si inaccessible, mais ce n'était pas vraiment pour maintenant. Et elle ne supportait plus qu'on ramasse. Quand on est immigrant, ça rime avec grand, on a des rêves de grandeur, il faut les entretenir.

.

Nous, on devenait québécois plus vite que nos parents. Bibi surtout. Les adultes disent toujours que les enfants s'adaptent plus vite, mais c'est parce que ça les soulage de penser ça, eux qui ne s'adaptent presque jamais. On était restés longtemps, Bibi et moi, à ne fréquenter que nous, je fréquentais mon frère et lui me fréquentait. On allait dans le parc Pélican pas très loin de la maison, un grand parc avec une colline et une piscine. Là, on voyait des enfants. Mère ne voulait pas qu'on aille à la piscine sans surveillance, même s'il y a déjà des gardiens de baignade, alors des fois, on lui demandait de venir avec nous, les samedis, quand elle avait un peu de temps. Elle restait sur le bord, à contrôler notre comportement, parce que les gardiens de baignade, eux, surveillent la baignade. La piscine est gratuite à Montréal, alors mes parents ne pouvaient pas refuser. Et là, parfois, Bibi retrouvait son copain Driss l'Arabe, qui marchait toujours comme s'il boitait alors qu'il ne boitait pas, mais c'était sûrement pour se donner un style, et qui parlait plus fort que les Québécois et forçait toujours sur l'accent, comme ça, on pouvait rien lui dire. Et quand Driss faisait trop de cinéma, alors on s'éloignait de lui, parce qu'on ne voulait pas être confondus et il ne plaisait pas à Mère. Elle nous lançait des signaux avec des gros yeux et on comprenait qu'il fallait se mettre en pause.

Pendant que Mère trempait Lila dans la pataugeoire, nous, on se mettait en retrait et on observait la vie à la piscine. Il y a avait plein de Blancs et ça me changeait beaucoup de voir tous ces corps blancs, car à la plage au Sénégal, je ne voyais que des corps noirs, beaucoup de corps noirs par milliers quand c'est la saison de la plage. Et là, en regardant les gens monter, descendre, plonger, sauter, marcher presque nus, je me suis aperçu que les Blancs n'avaient pas le même corps que les Noirs, mais alors pas du tout, parce que c'est comme si tout d'un coup, je ne reconnaissais plus l'espèce humaine et que j'avais en face de moi d'autres formes d'êtres avec d'autres manières de bouger. J'ai eu peur, parce que je me suis cru dans un autre monde, et qu'en venant à la piscine, ce n'était pas une chose prévue. Je suis sûr que Bibi n'a pas vu ça, mais moi, je réfléchis toujours, même quand je nage. Alors je me suis fait cette remarque : chez les Blancs, il y a plus de corps que de bras et de jambes, comme les pokémons.

Et les gens sont très calmes comparés à la plage ou à la piscine au Sénégal où on ne s'entend même pas crier, et où on est sans cesse éclaboussés par des enfants qui ne savent pas nager, qui pataugent comme des sauterelles et secouent les bras dans tous les sens. Ici, c'est un bain tranquille, les papas sont avec leurs enfants et les mamans sont allongées sur leurs serviettes. Tout le monde est doux dans l'eau, et personne ne regarde personne, sauf quand Driss parle fort et fait son malin. Je restais longtemps au bord, tout près de la corde à bouées qui fait frontière avec la partie de la piscine réservée aux plongeons, et j'aimais regarder les gens sauter des plongeoirs, et les filles qui se faisaient mal avec des plats pas possibles sur le dos. Elles ressortaient toutes rouges et moi, je me cachais sous l'eau pour rire sans qu'on m'entende.

.

Ce premier été, Bibi et moi, on avait été complètement dépassés par cette sensation de voir des jours qui duraient très tard, jusqu'au soir, et le soir qui venait aussi très tard, puisque souvent, notre petite sœur dormait déjà alors qu'il faisait encore jour. La vie à Montréal prenait une tournure normale pour notre famille. On allait à la piscine presque tous les jours, sans Mère. Nos parents avaient fini par régler tous leurs papiers d'immigration, ils nous avaient inscrits à l'école, Lila attendait l'ouverture de la garderie, ce qui permettrait à P'pa de commencer à chercher du travail. Mère avait commencé un stage dans une entreprise de jardin, parce que son métier, c'est jardinière. Un stage rémunéré, quand même, mais je ne sais pas combien elle était payée. Au Sénégal, elle avait du mal à travailler parce que là-bas elle était concurrencée par les *gardiniers*, c'est-à-dire le gardien de la maison qui est aussi jardinier pendant la journée. Gardien et jardinier, ça donne le métier de gardinier, un métier très courant au Sénégal dans les maisons de riches. Les profanes, qu'elle disait, Mère, lui prenaient son travail, parce qu'ils demandent deux fois moins cher et ne sont pas formés. Mère travaillait dur, mais sans reconnaissance, et elle n'était pas bien payée pour cette souffrance. Je crois que c'est une des raisons de notre venue au Canada.

C'est avec le ventre creusé par une journée de piscine, un sandwich pita au beurre à la main et en observant par la fenêtre la vie de la rue, que j'avais vu Charlotte pour la première fois. Je m'étais étonné de cette ombre que je voyais à la fenêtre de la maison d'en face, mais je n'en avais pas parlé à Bibi. Les jours suivants, en y faisant attention, je continuais à voir cette ombre, qui regardait aussi vers chez nous, puis disparaissait derrière un rideau. Au fil des jours, toujours aux mêmes heures, c'était devenu un jeu entre nous, comme le chat et la souris, sans que jamais nos yeux ne se croisent vraiment. Deux ombres qui se regardent et s'échappent. Je savais que c'était une fille, je l'avais vue sortir parfois de chez elle, toujours très rapidement, sans jamais regarder par ici, comme si de rien n'était. Elle avait quelque chose de spécial, avec ses cheveux noirs, toujours en espadrilles, en short blanc et en débardeur jaune. Et c'est comme ça qu'on avait commencé à s'observer mutuellement, Charlotte et moi. Des fois, les rideaux étaient tirés chez elle, mais elle était là parce qu'elle venait de les fermer, et je sais qu'il se passait des choses qu'elle ne voulait pas que je voie. C'était avec sa mère. C'est à cette époque aussi que j'ai vu une ambulance devant chez elle pour la première fois. Après, j'ai eu l'habitude, c'était devenu normal, cette ambulance, comme un taxi qui s'arrête devant chez elle.

Fin juillet, un après-midi de pluie, P'pa était dans la pièce qui lui sert de bureau, qui est aussi la salle à manger, et il était sur Internet, en recherche de travail, pour essayer d'avoir des rendez-vous. J'étais au salon avec Bibi et on regardait les Simpson, avec l'accent québécois pour essayer de bien se plonger dans l'atmosphère du pays, et en même temps, sans se regarder, on se lançait un coussin qui volait à travers la pièce. Le coussin était tombé sur la lampe à côté du fauteuil et avait cassé l'ampoule avec le risque de mettre le feu. Là, P'pa était intervenu en criant pour nous dire d'arrêter tout de suite, alors on s'était séparés et calmés. Bibi s'était mis à la fenêtre pour regarder le jour qui baissait et à un moment il m'a dit :

— Tu n'as pas remarqué, la fille en face, elle regarde toujours par ici !

— Non !

Là, les rideaux d'en face étaient tirés et c'était juste une lumière orangée qui paraissait à la fenêtre, comme après un coucher de soleil.

Ainsi, Bibi aussi l'avait vue. Et peut-être que lui aussi faisait le chat et la souris avec elle. J'ai eu comme un pincement parce que je ne savais pas si c'était avec Bibi ou avec moi qu'elle menait ce jeu, finalement, ou peut-être qu'on n'était qu'une seule personne pour elle. J'en ai voulu à Bibi de m'en avoir parlé, parce que de ce jour-là, je n'ai plus trop eu envie de me mettre à la fenêtre. Je suis moi, Souleye, et je ne voulais pas être pris pour Bibi. Puis, j'ai continué ce jeu, quand j'étais sûr que Bibi n'était pas à la maison.

Ça faisait donc presqu'un mois qu'on habitait à Rosemont quand, par étapes, j'ai fait non pas complètement connaissance, mais apparition avec Charlotte. C'est plus tard, presque à la fin du mois d'août, juste avant que l'école commence, qu'on s'est vus de plus près et que nos yeux se sont découverts. Dans le supermarché Maxi de la rue Masson. C'est là que son regard spécial m'est apparu. Mais on ne s'était pas parlé. C'était un samedi, je crois, j'accompagnais Mère aux courses. On était dans le rayon céréales et Mère me demandait quelles céréales on préférait avec Bibi, et bien sûr, c'était les Nesquik au chocolat. Là, je me suis aperçu qu'on nous regardait. C'était Charlotte qui était sur le côté et qui faisait comme si elle cherchait, elle aussi, des céréales. Quand nos regards se sont croisés, elle a tourné la tête et est partie de l'autre côté, puis elle a changé de rayon. Dès qu'on s'est mis dans la file pour la caisse, à la fin des courses, elle s'est mise juste derrière nous, alors j'ai trouvé bizarre qu'elle ait attendu ce moment-là pour passer à la caisse, parce qu'elle n'avait pas grand-chose dans son panier, seulement du lait et des œufs. Là, j'étais face à elle et elle m'a fixé longtemps sans baisser les yeux et c'est même moi qui ai baissé le regard, parce que son strabisme, et parce que je ne savais plus où les mettre, mes maudits yeux vides. J'ai aidé Mère à sortir les choses du chariot et Mère voyait bien qu'il y avait une fille derrière nous et elle essayait de repérer un adulte à côté d'elle, parce qu'une fille seule au supermarché, ce n'est pas souvent. Pendant qu'on rangeait les courses dans les sacs, Charlotte (je ne savais pas encore qu'elle s'appelait Charlotte), elle s'est mise à parler avec le caissier du Maxi qui nous avait servi et qu'elle semblait bien connaître, mais je n'ai pas compris ce qu'ils se disaient parce qu'ils parlaient vite et en vrai québécois. C'est après que j'ai su que ce caissier, c'était l'oncle Henri.

Alors on est sortis du supermarché avec Mère, et moi, j'essayais de me retourner discrètement pour voir si elle ne suivait pas, mais je ne l'ai pas vue. Et le souvenir de son regard était resté dans mon esprit, parce que c'est rare d'être fixé comme ça, comme si elle m'avait déshabillé, ou je ne sais pas quel effet encore, mais j'avais eu peur, et je m'étais dit tout de suite : cette fille-là, elle n'est pas normale, je dois m'en méfier.

Pendant plusieurs jours, je n'ai plus regardé par la fenêtre, parce que c'était la rentrée des classes, et puis c'est vrai que je craignais de recroiser son regard, je dois l'avouer, j'avais peur. Au Sénégal, on dit que quand des regards se rencontrent, la langue n'a pas son mot à dire et on laisse les yeux dire les choses à la place. Et là, par le regard, on peut entendre des choses qu'on n'a pas envie d'entendre, et même des vérités. Et je ne sais pas ce que j'avais entendu dans ses yeux, à Charlotte, ou ce que son regard m'avait dit, mais c'était la première fois que des yeux m'avaient parlé. Et ils m'avaient peut-être dit que cette fille avait toujours rêvé d'une famille comme la nôtre, et qu'elle trouvait ça beau d'aller faire les courses avec sa mère et d'avoir une petite sœur qui crie dans la maison, et un grand frère qui joue à faire peur, et un père qui cherche du travail sans en trouver et qui ramène des meubles en douce. Ses yeux m'avaient sûrement dit qu'elle avait besoin de confier ça à quelqu'un qui ne soit pas quelqu'un d'ici, et que moi, Souleye, qui venais d'arriver d'un autre pays, parce que je ne savais rien de rien sur ici et sur elle, j'allais peut-être la comprendre et devenir son ami. Mais tout ça, ce n'est pas ce que j'avais entendu dans son regard, car je ne le savais pas encore, je l'ai su plus tard, mais le soir en me couchant, j'étais encore tout troublé et j'avais mis du temps à m'endormir.

Je me suis toujours douté que P'pa avait un problème de travail, parce qu'au fond, à chaque fois qu'on me demandait à l'école ce que faisait mon père comme métier, je ne savais pas quoi répondre. Un père doit avoir un métier, c'est tout ce que je retenais.

Une fois que le rythme s'était installé dans cette nouvelle maison de Rosemont, qu'on avait senti un peu de stabilité, que l'école avait commencé et la garderie aussi, et que Mère avait trouvé son stage dans la société Les Jardins Suspendus, P'pa s'était dit qu'il était vraiment temps pour lui de trouver un travail, un vrai, où il aurait l'air de quelqu'un qui travaille. Parce que Mère, avec son stage qui n'était pas bien payé et qui n'allait pas durer plus de six mois, ce n'était pas une sécurité. S'ils étaient venus au Canada avec toute cette aventure et ces péripéties depuis le début, c'était pour s'en sortir, pour venir à bout de leur rêve et rendre vraies toutes les bonnes images qu'on avait du pays. Pas pour devenir riches, je crois, mais pour avoir une vie meilleure et nous donner des chances à nous, les enfants.

— C'est vous, les futurs Québécois, pas nous, disait P'pa. Pour vous, c'est un début, ici... Pour nous, c'est déjà une fin.

Mère n'était pas d'accord avec le mot « fin », et Bibi et moi, on ne comprenait pas trop le sens de ces mots-là, employés comme ça. Mais c'est vrai que P'pa avait beaucoup d'espoir de faire quelque chose, de repartir de zéro pour arriver à un chiffre plus haut, comme Mère disait.

P'pa a fait beaucoup de métiers différents au Sénégal. Il parlait toujours de mille métiers, mille misères, il avait entendu dire ça en France quand il était jeune. Il a été pompiste quand il est revenu au Sénégal et il a aussi vendu des bateaux de pêche, des moteurs de bateaux de pêche et des pièces détachées pour moteur en Mauritanie, il a travaillé dans une école où il s'occupait de l'entretien du matériel et des meubles, et aussi dans une association pour aider les pauvres à mettre leurs enfants à l'école. Il a créé un journal d'annonces pour faire des bonnes affaires, mais ça n'a pas marché. Il a géré une discothèque, il a organisé des courses de vélos au Burkina Faso pour la marque Coca-Cola, il a été guide et photographe pour une compagnie de voyage en Casamance, dans le sud du Sénégal. Il a aussi travaillé dans une société allemande qui creuse des puits pour les villages soninkés et peuls, des ethnies qui vivent dans l'est du Sénégal, près de la frontière avec le Mali. C'est à peu près à ce moment que je suis né. Plus tard, il a été intermédiaire pour le ministère de la Santé du Sénégal, en fournissant des milliers de moustiquaires imprégnées fabriquées en Inde pour aider à lutter contre le paludisme, et finalement, les Indiens lui devaient de l'argent pour le travail abattu et ne l'ont jamais payé. Alors il était très fâché contre les Indiens, j'entendais toujours ça à la maison, et quand j'étais plus petit, je disais que P'pa était un cow-boy à cause de ça.

P'pa a grandi en France. Parce que ça marque, pour un Noir, de grandir en France, surtout à Grenoble, en Isère, où l'ambiance n'était pas très bonne, à ce que j'avais entendu dire. Il est arrivé quand il avait deux ou trois ans, avec ses parents et sa grande sœur, tata Amina, et ils ont d'abord vécu à Lyon et après, ils sont partis à Grenoble, dans le quartier de Villeneuve, où c'était jamais la joie, et où les voyous dictaient leur loi en organisant des rodéos avec des voitures volées. Ma grand-mère, elle a tout fait pour protéger P'pa, mais ce n'était pas facile dans ces cités, et mon grand-père, pour éloigner P'pa de ses mauvaises fréquentations et du chemin des délinquants, il lui a tendu un piège en lui confisquant son passeport pendant les grandes vacances à Dakar. P'pa avait seize ans et il était furieux parce qu'il ne voulait pas rester au Sénégal, parce que pour lui, son pays, c'était la France. Mais il y est resté, finalement. Et c'est comme ça qu'il a appris à ne pas se retourner. Et P'pa, il remerciera toujours son père, car il dit toujours que c'est le Sénégal qui l'a sauvé à ce moment-là de sa vie, parce qu'il n'était vraiment pas sur la bonne voie. Surtout que la plupart de ses copains de Grenoble, aujourd'hui, ils sont en prison ou ils sont morts.

Donc P'pa est resté au Sénégal, contraint et forcé. Il a habité chez son oncle Hady dans le quartier de Karak, où il a repris l'école et a même obtenu le bac à vingt-et-un ans. C'est cet oncle qui lui a appris les échecs, ils passaient ensemble des heures à jouer jusque tard dans la nuit. Puis P'pa est allé à l'université Cheikh Anta Diop de Dakar pour étudier, et malgré qu'il n'arrivait pas bien à se concentrer, parce qu'il disait qu'il était déchiré à l'intérieur et qu'il ne trouvait pas son équilibre, il a travaillé dur pour avoir une maîtrise en philosophie. À la mort de l'oncle Hady, parce qu'il ne pouvait plus continuer les études et rester dépendant de sa famille, P'pa s'est mis à travailler comme pompiste. Un pompiste philosophe. C'est qu'ici, à Montréal, il n'y a plus de pompistes, les gens se servent tout seuls, paient tout seuls et s'en vont. Mais au Sénégal, ce métier existe encore, et partout. Les pompistes ont des casquettes, des billets plein les poches et font des sourires.

Petit à petit, P'pa commençait à bien se faire au Sénégal parce que la vie y était douce pour un jeune Noir français. Et après tous ses métiers différents et ses voyages au Mali, en Mauritanie, au Burkina, en Guinée et en Côte d'Ivoire, il est revenu au Sénégal avec son expérience, plein d'Afrique dans la tête et il a rencontré Mère.

Une autre raison qui l'a poussé à rester au Sénégal est que les voyages qu'il faisait parfois en France, pour revoir ses parents ou ses amis, ne le rassuraient jamais sur le fait d'être noir en Europe. Et malgré que tous les

Dakarois lui disaient qu'il était fou de rester à Dakar, à moisir dans ce pays sans avenir, alors qu'il avait sa nationalité française, avec ses papiers en règle et tout, pendant qu'eux ne pensaient qu'à ça, partir en Europe pour chercher l'argent, non, lui il avait choisi de rester, parce que comme on dit ici au Québec, c'était « pas pire ». Comme tous les jeunes Sénégalais rêvaient de France ou d'Italie, et que lui, il avait fait le voyage à l'envers du rêve des autres, il devait toujours s'expliquer là-dessus. C'est pourquoi je crois que ce départ au Canada était bizarre au fond de son cœur, parce qu'il sentait qu'il trahissait quelque chose de lui-même, et c'est aussi pour ça qu'il ne voulait pas se retourner. C'est Mère qui m'a expliqué ça, même si ce n'était pas facile à comprendre.

.

Mère, elle, elle est jardinière. Et elle a toujours été jardinière. C'est son seul et unique métier et c'est grâce à ce métier qu'on est arrivés au Canada. Parce que les Canadiens, ils choisissent qui ils veulent dans leur pays, comme ça les arrange, en fonction des besoins, et P'pa, avec ses mille misères, sûrement qu'il ne devait pas trop les intéresser. Et c'est drôle, parce que personne ne pouvait s'y attendre et surtout pas les amies de Mère qui, quand elle avait décidé de choisir la formation de jardinière, avaient bien rigolé et avaient dit que c'était sans avenir. Elles, elles avaient choisi des métiers nobles comme secrétaire ou coiffeuse. Mais voilà, c'est la jardinière qui intéresse le Canada. C'est comme ça. Et alors, pour la préparation du dossier canadien, quelqu'un avait conseillé à Mère de faire la demande en son nom, parce qu'avec les points de son métier, avec les points de la langue française et les points d'une famille de trois jeunes enfants, on avait plus de chances d'être acceptés comme résidents permanents.

Deux mois après notre arrivée, Mère avait déjà trouvé un stage, avec l'espoir qu'il l'emmène sur le chemin d'un vrai travail. De son côté, P'pa voulait quelque chose de stable, avec des possibilités d'avenir et les avantages du présent, il avait envie d'un rythme métro, boulot, dodo pour changer de sa vie mouvementée du Sénégal. C'était son objectif et Mère était contente et nous aussi. Quand ils sont contents, tous les deux, ça se sent et alors on est contents. Le bonheur, ça se propage, et il y avait des nuages colorés d'espoir qui flottaient dans la maison et une odeur de douceur, même si Mère faisait maintenant des économies d'encens en grillant une boulette qu'une fois ou deux par semaine. Lila aussi était très heureuse, à la fête, et elle dansait toujours quand Mère lui mettait *Mana*, un morceau de musique du Sénégal, parce qu'elle avait encore ça dans le sang et dans la peau, cette petite soeur, et se retourner, pour elle, c'était naturel. Mais c'est sûr qu'en grandissant, elle perdrait tout ça. Parce qu'elle deviendrait une vraie Québécoise, elle qui a débarqué ici à trois ans à peine, et elle n'aurait jamais plus la chaleur de la cour de Pikine (la banlieue de Dakar d'où vient Mère), quand elle y marchait pieds nus, et les bruits croustillants et piquants de la langue wolof, les jeux de rue des enfants, les jus de mangue fraîche, les glaces à l'oseille et l'odeur des beignets à l'huile. Et Mère, ça lui faisait mal au cœur de penser à ça. Mais il ne fallait pas se retourner. Alors elle n'y pensait pas et claquait des mains de plus belle pour faire danser Lila sur sa chanson préférée.

Je me rappelle qu'un soir, Mère avait beaucoup parlé avec sa mère au téléphone et que P'pa regardait sa montre et lui lançait des signes parce que ça coûte cher, et il avait promis qu'il enverrait de l'argent là-bas pour installer Internet et permettre à la famille de Pikine de *skyper* avec nous. C'est ce même soir, sur la DSI de Bibi, avec Pokemon version Perle, que j'ai repéré la boule de Palkial. J'avais pourtant passé des heures sur ma propre console, avec mes trois versions (Perle, Diamant et Platine), mais je n'avais pas réussi à trouver l'introuvable Arcéus. Bibi, lui, avait arrêté de le chercher. Il avait laissé tomber la DSI. Il s'était mis au basket et au hockey parce qu'ici, ce sont ces sports qui comptent si tu ne veux pas passer pour un *loser*.

Ça allait être notre premier hiver et on ne savait pas à quoi il fallait s'attendre. Pour nous, l'hiver était comme un horrible ogre blanc et barbu, un méchant Père Noël. On nous en parlait avec un peu de sadisme, surtout les Québécois qui nous demandaient si on avait déjà vécu ça et nous faisaient croire que l'hiver nous mangerait tout cru, tout frais. Mère en avait très peur et je crois que cette peur nous touchait aussi ; elle avait passé des heures avec nous à magasiner pour acheter tout l'équipement, les mitaines, les tuques, les bottes, les gros bas de laine, les cagoules, les cache-cous et les longes, qui sont des drôles de caleçons à grandes manches.

Et on entendait de tout et de son contraire, parce que chaque personne a ses propres liens avec l'hiver, et qu'il y a même des Québécois qui ne sont pas du tout copains avec lui. Et dans les magasins, Mère questionnait les vendeurs et les clients, on voyait qu'elle ne savait pas quoi faire ni comment choisir, parce qu'à Dakar, notre hiver s'arrête à douze ou treize degrés le matin, et c'est très rare. À ce moment-là, tout le monde parle du grand froid qui s'abat sur Dakar, les gens mettent des gants et des cagoules et des gros blousons North Face qu'on trouve dans les marchés aux puces (qu'on appelle là-bas les *fegg-jaay*, « secouer-vendre », parce que les habits sont juste dépoussiérés et vendus dans la rue). Et quand le froid s'abat sur Dakar, les gardiens de nuit allument des feux dans des gros futs en métal, ils se mettent au-dessus pour se réchauffer. Et c'est beau à voir parce que ça fait des gerbes d'étincelles qui montent dans la nuit. Le froid est relatif, ça dépend de chaque organisme, disait P'pa. C'est plus tard, avec l'hiver québécois, qu'on a compris que le corps s'habitue et que, après une semaine de moins vingt degrés, quand il ferait zéro, ce serait correct pour nous.

Donc, malgré les rumeurs des Québécois qui parlaient tout le temps de réchauffement climatique, nous, on sentait bien que le froid menaçait. Dans la famille, c'était la préparation d'un vrai combat, d'une future guerre mondiale contre la météo, et dès la fin du mois de septembre, on avait dépensé beaucoup d'argent contre cet hiver que Mère redoutait tant. P'pa, qui avait vécu près des Alpes et du Massif du Vercors, ne craignait pas trop le froid, ou faisait semblant, même s'il se demandait à quoi ça pouvait ressembler, parce que c'était une légende très entretenue en France, ce grand froid du Canada, et il essayait de convaincre Mère que ça ne serait pas si pire, et qu'il y avait beaucoup d'Africains ici, et de gens exotiques du monde entier qui avaient réussi à s'adapter à l'hiver. Bon gré, mal gré.

Mère avait eu une prolongation de son stage aux Jardins Suspendus et P'pa était content parce qu'elle lui apprenait beaucoup de choses sur le monde du travail ici, sur comment les gens s'organisent et sur les relations entre les employés, et aussi comment côtoyer des Québécois sans leur faire peur.

Car les Québécois, ils ont facilement peur. Et ce n'est pas une peur normale, comme des monstres ou de la mort. C'est une peur de fondre. Malgré le froid. P'pa nous a dit ça, c'est une peur de se dissoudre comme un cachet dans l'eau, et c'est très compliqué de l'expliquer ou de la comprendre parce qu'elle n'est pas reconnue comme les autres. Et pourtant, beaucoup d'Africains l'ont connue, cette peur, beaucoup d'humains à travers la planète. Avec cette peur, on ne fait pas de grimaces ou de tremblements de mâchoire, on ne devient pas bleu quand on est blanc. Ce n'est pas physique. C'est une peur cachée qui coule avec le sang dans les veines et qui irrigue leur cœur. « C'est une vraie peur sauvage », dit P'pa, une peur préhistorique qui date de très longtemps. La peur de disparaître. C'est la même peur que les Amérindiens (moi, je croyais que c'était « les amers Indiens » au début et je ne comprenais pas si c'était une histoire de goût ou de caractère), et je comprenais ce que P'pa me disait quand il parlait du problème de fondre. Parce que les Amérindiens (ici, on dit aussi

« Premières Nations » ou « Autochtones »), qui sont ceux qui ont vraiment découvert Christophe Colomb, se sont fait dissoudre aussi par la colonisation des Blancs. Et voilà pourquoi les Québécois ont peur. Parce qu'ils savent ce que c'est d'être dissous, ils voient comment on peut disparaître doucement en laissant juste quelques traces comme un cachet laisserait sa poudre au fond d'un verre. Juste des traces d'Autochtones. Des plumes et quelques statuettes. P'pa disait que les Amérindiens sont un miroir pour les Québécois, et c'est ce miroir-là qui leur fait peur. Ils ne veulent pas se voir dedans. Les Québécois voient dans l'histoire des Amérindiens la fragilité de leur propre existence. Et c'est pour ça aussi qu'ils donnent le moyen d'exister à tous ceux qui sont différents d'eux, même s'ils en ont peur.

— Le Québec ? C'est une île, disait P'pa, l'océan Atlantique d'un côté, l'océan anglotique de l'autre... Ils ont besoin de nous, les immigrants francophones, mais ils ont peur de nous. Bienvenue, mais gardez vos distances ! Des deux bords, c'est angoissant à vivre.

C'est vrai que c'est compliqué, quand même. Et ils parlent de minorités visibles, pour dire tous ceux qui vivent ici et qui ne sont pas comme eux. Visibles, car pas blancs. Et nous on en est. Comme on est noirs, on se démarque et on nous voit. Mais P'pa, il voulait aussi faire rajouter la notion de minorité audible parce que lui, il a l'accent français, et au téléphone, ça s'entend. On le prenait toujours pour un maudit Français quand il cherchait du travail et il ne savait plus à quel accent se vouer.

Donc pour nous, c'était important de ne pas faire peur aux gens ici, de ne pas leur rajouter une couche. On devait leur montrer qu'on était venus en douceur pour s'adapter et pas pour s'imposer, ce qui est normal puisqu'on n'était pas chez nous. Et même si on allait bientôt être chez nous (parce qu'ici, tout le monde peut être chez soi s'il le veut), il ne fallait quand même pas qu'on fasse comme chez nous. Alors ce n'était pas facile à organiser pour Mère et pour P'pa. Mère rentrait du travail et racontait les choses qu'elle vivait pendant la journée. Et on l'écoutait, surtout P'pa, parce que lui, il avait besoin de savoir comment fonctionner, comment composer avec cette nouvelle vie et ces nouvelles personnes.

P'pa se levait le matin, il faisait trente pompes (ici, on dit « *push-ups* »), il buvait un café noir et passait ses journées à chercher un travail sur Internet ou en rendez-vous au Centre local d'emploi. Mais on ne peut pas chercher efficacement quand on ne sait pas quel travail chercher. Il avait mille possibilités, selon les mille métiers qu'il avait faits. Il disait qu'on lui proposait des petites jobs pas bien payées (ici on dit « *cheap labour* », mais je ne sais pas vraiment ce que ça veut dire en français), comme distribuer des journaux dans les boîtes aux lettres ou des papiers de publicité dans les sorties de métro, ou d'aller vers les sociétés qui font du transport de marchandises pour faire de la manutention, charger et décharger des cartons. Mais il ne voulait pas aller dans cette direction, car il savait que s'il mettait un pied dans ces métiers, il ne pourrait pas en sortir facilement, parce que quand tu goûtes à un salaire, même petit, et que tu t'habitues, après, tu ne peux plus le recracher. T'en as besoin et tu t'accroches à ton *cheap labour*. Et parce qu'il valait mieux prendre un peu son temps, observer et réfléchir, plutôt que de s'engager dans une mauvaise voie.

Mère, elle, le poussait et lui mettait la pression. Elle voulait qu'il trouve quelque chose de stable parce qu'elle a toujours connu des vagues avec lui, des hautes et des basses, et qu'à la fin, elle disait que ça lui donnait le mal de Mère. P'pa essayait de trouver une réponse philosophique, il citait un proverbe ou rentrait dans des explications qui fatiguaient Mère. C'est que P'pa était très fort en philosophie, il avait étudié et il disait toujours qu'il aurait pu être professeur de philo. Cela énervait Mère de l'entendre dire ça, parce que c'était comme du vent sorti d'une bouche et qui passait entre ses deux oreilles. Elle disait ensuite que la philosophie ne donne ni à manger ni à s'habiller, qu'il perdait son temps et celui de sa famille à toujours chercher un sens aux choses. Alors P'pa se taisait, s'asseyait dans le fauteuil, soufflait très fort et semblait incompris. Moi, j'essayais de comprendre les deux pour que leur pensée se rencontre en moi.

Un matin, P'pa a décidé que tout allait changer, et qu'il fallait que lui aussi change et se prenne en main, parce que personne d'autre ne le ferait à sa place. Il s'est mis à faire ce qu'ici on appelle « de la recherche dynamique d'emploi ». C'est une technique normale quand on cherche du travail, il faut se bouger, prendre des rendez-vous, téléphoner et retéléphoner, et lui, comme nouveau migrant, on lui avait fait faire trois semaines de formation pour ça, gratuitement. Il aimait bien cette formation, ça lui changeait un peu, il revenait en donnant plein de conseils à Mère : comment faire pour mieux prendre des rendez-vous, relancer les contacts, bien parler au téléphone, obtenir une entrevue, présenter son CV, entretenir un réseau et plein d'autres formules que je ne comprenais pas bien. Mère le regardait et faisait des grands yeux au ciel, l'air de dire « Mais c'est toi qui cherches un travail, pas moi. »

J'avais compris qu'il essayait de se motiver. Il avait décidé avec Mère de se mettre en situation, comme un jeu de rôles. Mère tenait le rôle du patron qui recrute et P'pa jouait son propre rôle. Mais il était mal dans son propre rôle et ça finissait toujours en chicanes. Et Mère s'énervait parce qu'elle lui disait des vérités qu'il n'aimait pas entendre, surtout au sujet de sa fierté mal placée et de sa liberté qu'il aimait trop.

— Tu es prisonnier de ta liberté, qu'elle lui disait, tu ne veux pas de barrières, pas de voie toute tracée, tu ne veux pas de contraintes ni de réveille-matin. Tu veux quoi, finalement ?

P'pa n'avait jamais de réponse à ça, il se sentait ridicule, peut-être, et allait s'isoler en faisant la vaisselle. Sûrement, alors, qu'il devait philosopher avec l'éponge.

C'est sûr que Mère s'inquiétait, parce qu'avec son seul salaire, et nous cinq à la maison, même si le Canada aide les familles nombreuses, ça ne suffisait pas, et alors, des fois, elle ne parlait que de ça avec P'pa, de l'argent, du budget, des dépenses, des frais et de toutes les choses qui n'intéressent pas Bibi ni Lila, ni même moi, mais comme j'entends et j'écoute tout, alors j'en parle. Et alors Mère faisait ce que P'pa a toujours appelé « les tremblements de mère ». C'est-à-dire que Mère pouvait garder le calme très longtemps, comme l'océan avant une tempête, mais dès que la machine des tremblements se mettait en route, quand la tempête se déclenchait, il valait mieux se faire tout petit, et même aller au fond du sous-sol pour attendre que l'ouragan soit passé. Et ses tremblements, à Mère, revenaient de plus en plus souvent et je crois que c'est ça qui a décidé P'pa à essayer de changer sa voie. Ou de la forcer, plutôt, sa voie. Il a commencé à parler de formation pour essayer de devenir intégrateur web, de reprendre les études pour essayer de devenir bibliothécaire multimédia, il a parlé de devenir ébéniste ou plombier et même soudeur, mais voilà, il ne savait toujours pas quelle direction prendre. Et quand il y a trop de choix, c'est dur de choisir.

Alors ça l'a poussé à sortir de la maison, parce que sur Internet, à rechercher sans finir et attendre de trouver, tu peux mourir de temps et d'immobilité. Parce qu'il avait envoyé trois cent cinquante CV, il avait reçu vingt-et-un accusés de réception, et il avait été convoqué à une seule entrevue, pour un poste de chercheur d'argent pour une association de lutte contre le cancer des enfants. Mais ça n'avait pas marché, parce qu'il parlait anglais comme un Français, c'est-à-dire tout croche (ça veut dire « de travers ») et qu'à Montréal, ce sont les anglophones qui sont riches et qui donnent de l'argent pour les petits enfants malades.

Un matin, après ses trente pompes, il a décidé de partir avec sa petite sacoche ; il s'était bien habillé, il avait fait des efforts et mis les bottines noires montantes que Mère lui avait achetées à la Renaissance, une chemise blanche neuve qu'elle lui avait achetée à Dakar avant de partir, et un pantalon en velours gris qu'elle n'aimait pas, et alors il ressemblait à un autre père parce que lui, il n'aimait que les jeans et les tee-shirts, et comme les habits font le moine, il fallait qu'il ressemble à un moine ou à ce qu'il n'est pas, en tout cas. Il était parti et il était revenu le soir. Et il avait eu l'impression d'avoir accompli beaucoup de choses. Et il avait recommencé le lendemain. Et comme ça, tous les matins, après ses trente pompes, il partait, dès qu'il avait déposé Lila à la garderie, il partait pour se donner l'air de faire quelque chose dans la vie. Nous, on avait la clé pour renter de l'école et il ne revenait que le soir, après être passé récupérer Lila, et toute la journée, il cherchait un travail, ou une formation ou une nouvelle voie à explorer, et c'était bizarre, parce que du coup, Mère ne disait plus rien ; et lui, il disait juste qu'il avait été dans telle entreprise, telle société, qu'il avait vu telle personne, mais en fait, on n'en savait rien. On voyait juste qu'il essayait de se secouer, qu'il voulait ressembler à tout le monde qui travaille, il s'habillait, il partait, il revenait, il mangeait, il parlait un peu avec Mère, nous demandait des nouvelles de l'école, puis faisait une série de chatouilles à Lila et après, il allait se coucher. Parfois, ça finissait en tremblements avec Mère. Et ça a duré quelques semaines comme ça, avec l'arrivée de l'automne et les feuilles jaunes qui tombaient, et tout devenait sombre comme si le soleil rétrécissait de jour en jour. Mère faisait tout pour que ça aille bien et P'pa aussi, mais au fond, je sentais bien qu'il y avait quelque chose qui ne tournait pas rond. P'pa était différent de d'habitude, il ne se ressemblait plus et je voyais bien qu'il n'y arrivait pas. C'est là que j'ai compris qu'il était plus facile de faire semblant que d'être vrai et que peut-être que beaucoup de gens dans la vie font semblant. J'ai pensé aussi au mot « *loser* », mais j'ai eu peur de mettre ce mot-là à côté du mot « P'pa », parce que ce n'est pas gentil de penser à ça. J'ai essayé d'oublier cette pensée. Il n'y avait que Lila qui ne faisait pas semblant et mettait de la vie dans la maison, parce qu'une innocente comme elle, ça n'a pas d'égal pour apporter la bonne humeur. Bibi, lui, passait son temps entre l'école et le hockey avec ses nouveaux copains ; éponge comme il est, son accent devenait québécois. Et moi, j'attendais que ça se passe, en essayant d'aider Mère à aider P'pa à nous aider à nous sentir bien.

On a continué comme ça et puis un jour, un soir de novembre, P'pa est rentré de ses recherches avec sa sacoche, il a accroché ses vêtements, il a mis son chandail blanc à manches longues et son pantalon de jogging gris qui lui sert de pyjama et il n'est plus ressorti de la maison. Depuis ce jour-là, je ne l'ai pas revu pousser ses trente pompes du matin. Il avait décidé de s'installer dans le sous-sol pour fabriquer des petits meubles en fer et en bois, parce qu'il avait vu qu'on pouvait faire des objets recyclés et que ça pouvait bien se vendre, surtout dans le Mile-End, qui est un quartier d'artistes bourgeois où les gens aiment la récupération, les condos qui s'effritent, les vélos qui grincent et les écharpes en laine. Parce que P'pa a toujours été un artiste. C'est Mère qui l'a dit. Mais un artiste, ça vit souvent mal et quand ça a une famille, ce n'est plus vivable et c'est pour ça qu'il voulait un vrai travail dans une vraie journée de travail avec un début, un milieu et une fin, et surtout un salaire qui tombe toutes les deux semaines, pour faire plaisir à Mère et nous donner de bonnes études plus tard. Une vie comme tout le monde, quoi, bien rangée, organisée, sur les rails.

Un soir que je revenais du Centre Père-Marquette où Bibi faisait du hockey, je suis rentré dans la chambre de mes parents pour dire bonjour à Mère, même si je l'avais vue le matin, parce qu'au Sénégal on se dit bonjour à tout moment de la journée, à chaque fois qu'on se voit. Alors j'ai ouvert la porte et il faisait sombre dans la chambre avec une bougie seulement, et Mère était là, seule, avec sa grande ombre recourbée sur le mur, assise sur sa natte de prière, au pied de son lit, son foulard posé sur la tête, et elle priait à voix basse. Alors je me suis étonné, mais je l'ai laissée, parce qu'il ne faut pas déranger quelqu'un qui prie. J'ai attendu, mais ça a pris du temps et j'ai donné un tapioca à Lila pour qu'elle laisse aussi Mère se recueillir, parce qu'elle voulait lui monter sur le dos, comme à cheval, pendant qu'elle faisait sa prière. J'étais étonné de voir Mère prier en dehors du mois de Ramadan. Ça clochait, de la voir comme ça, puisque le Ramadan était déjà passé, et je me suis dit que ça allait mal, ou qu'il était arrivé quelque chose, ou qu'elle priait subitement parce qu'il y avait une peur qu'elle n'arrivait pas à avaler. Parce que Mère ne prie, et à voix basse, que pendant le Ramadan. En dehors de ça, elle prie Dieu dans son cœur.

À partir de ce soir-là, elle s'était mise à prier presque tous les soirs, sur sa natte, dans sa chambre, dans le noir. Elle avait senti le malheur à venir et priait pour que P'pa arrête son bricolage de meubles, ressorte du sous-sol et revienne avec nous à la surface.

RETOURNEMENT 9

Les migrants qui débarquent des pays chauds ont toujours espoir que l'hiver ne viendra pas cette année, qu'il passera très vite et repartira, qu'au passage, il sera doux et gentil avec eux, qu'il leur laissera encore un peu de souvenir de chez eux et de rêve d'ici. Mais l'hiver est inévitable et sans pitié. On y passe tous. Une fois qu'on a mis le pied dedans, on y est pognés pour un sacré bout de temps.

Évidemment, Mère avait senti très vite que quelque chose n'allait pas avec P'pa. Il passait ses journées au sous-sol, et la plupart de ses soirées. Il ne parlait plus beaucoup. Et il ne voulait pas qu'on voie ses meubles avant qu'il les ait terminés. On l'entendait scier, raboter, cogner et tout d'un coup crier. Et puis, parfois, il y avait des heures de silence où on l'oubliait presque. Mais on ne voyait pas ce qu'il faisait. Et c'est pour ça que Mère s'était mise à prier, pour lui, pour essayer d'enrayer le mal ou le mystère qui le maintenait dans cet état.

Moi, tant qu'il remontait le soir dans sa chambre du fond de son sous-sol, je le considérais comme une marmotte, P'pa, parce que l'hiver avait bel et bien commencé, et qu'avec les nuits qui tombent vite et le froid qui paralyse, et bien c'est comme ça, on a tendance à ralentir et à ne plus trop sortir. Mais là, Mère s'énervait souvent et elle n'en pouvait plus, avec nous trois à gérer, son travail et les papiers à remplir, les factures, le magasinage et la cuisine, enfin tellement de choses dont elle devait s'occuper toute seule, que je la comprenais, Mère, et je voulais tant l'aider. Et Bibi aussi l'aidait, il faisait la vaisselle et il passait le balai, moi je débarrassais la table et pliais le linge. Surtout qu'au Sénégal, c'est quelque chose dont on ne s'occupait jamais, le ménage, parce qu'on a des bonnes là-bas et même si ça choque les gens de dire qu'on avait des bonnes, c'est comme ça, et même les bonnes, elles ont des bonnes. Tout le monde travaille pour tout le monde, les relations sont plus riches, on se parle, on se salue, on se tient par la main, on s'accole, on aime être entourés. Mère dit que la chaleur humaine est aussi un peu comme ça à Montréal, mais qu'à Dakar, c'est le record du monde de chaleur humaine. Et la chaleur humaine en hiver, c'est important, c'est être les uns à côté des autres et se tenir chaud au cœur, c'est se sentir vivre et se toucher facilement. Ici, les gens n'aiment pas ça, se toucher. Il y a la bulle dans les relations, il faut garder une distance. Au Sénégal, on se touche, l'humanité est proche. Et on est plus forts de ce côté-là. Mère dit toujours : « Nous, les Africains, on est riches de notre humanité. »

Ce n'est pas que je veux faire un joli tableau du Sénégal, parce que si P'pa et Mère, qui aimaient ce pays, ils l'ont quitté, c'est que ce n'était pas un tableau de maître, comme on dit. Mais quand même, sur des petites choses de tous les jours, simples et utiles, le Québec et les pays riches devraient prendre exemple sur le Sénégal. C'est vrai, quoi, c'est toujours dans un seul sens, l'exemple, c'est toujours l'exemple du plus fort, du plus beau, du plus riche, c'est toujours le pays pauvre qui prend exemple sur le pays riche. Sur ce que l'homme peut donner à l'homme, les médicaments de l'âme, les petits bonheurs de tous les jours, l'attention et l'humanité, on devrait faire des échanges dans l'autre sens. Une coopération de chaleur humaine. C'est ce que pense Mère et je suis d'accord.

Un matin, en se levant pour aller à l'école, on a trouvé un drôle de meuble dans la salle à manger, quelque chose qui ressemblait à un fauteuil avec des tiroirs, quelque chose qu'on n'avait jamais vu avant et qu'on ne reverrait sûrement jamais ailleurs, un meuble fait en bois de récupération avec des formes très géométriques, plus haut d'un côté que de l'autre, c'était comme une sculpture, composée de bois très différents, des plus foncés, des plus clairs, des qui étaient déjà peints, ça faisait comme une marionnette de tissus différents. Et il y avait des plus petits tiroirs sur les côtés, ce qui faisait qu'on pouvait y ranger pas mal de choses, en même temps qu'on pouvait s'asseoir sur le meuble comme dans un fauteuil. Mais avec Bibi, on s'était regardés, pas très rassurés, parce qu'on se disait que ce meuble-là n'était pas un meuble normal et qu'on ne comprenait pas trop comment il allait être utilisé. Mère était sortie de sa chambre et nous avait dit d'aller voir ailleurs, du côté de la cuisine pour prendre le petit déjeuner, et de ne pas parler de cet objet, que c'était un essai que P'pa avait fait et qu'il continuait à fabriquer des meubles parce que ça lui occupait l'esprit en attendant. Mais moi, je me demandais bien comment il allait enfin trouver sa voie en restant au fond du sous-sol.

On lui descendait des boîtes à lunch et il ne mangeait les plats que quand il en avait envie ; il n'avait plus d'horaire, on le voyait parfois monter, juste pour aller aux toilettes et il redescendait, il disait : « J'ai du travail, ça prend du temps, laissez-moi me concentrer. » Il adorait les tartes aux pacanes, qu'il avait découvertes en arrivant à Montréal. Mère me donnait sept dollars et j'allais en acheter une au Maxi, une tarte de Saint-Donat, spécialement pour lui. Et ça, quand on lui en donnait, la part était mangée aussitôt. Mais il arrivait que sa boîte à lunch traîne sur l'étagère en bas de l'escalier et qu'il n'y touche pas, alors Mère demandait à ce qu'on la ramène, qu'on la vide à la poubelle, et qu'on lui en serve une autre avec les aliments de la journée. Un jour, c'était Bibi, un jour, c'était moi qui la lui descendais. Ça nous donnait l'occasion de le voir, on lui demandait comment il allait, mais il ne répondait pas ou même, parfois, il dormait, et là, on en profitait pour découvrir à quoi il passait son temps. Parce qu'à ce moment-là, il ne creusait pas encore son trou. Il essayait de devenir menuisier ou ébéniste ou architecte ou je ne sais pas quoi encore. Il y avait des planches partout, des morceaux de bois plus ou moins gros, plus ou moins longs, des assemblages, des collages, et puis quelques outils qui traînaient, c'était comme s'il s'était endormi en travaillant. J'observais P'pa et j'essayais de comprendre ce qu'il voulait faire avec toutes ces pièces de bois et ces meubles bizarres et biscornus qu'il était en train de construire. J'ai pensé qu'il voulait peut-être se fabriquer un jeu d'échecs, j'aurais bien voulu faire une partie avec lui.

En tout cas, il se passait des choses dans sa tête que j'espérais comprendre, mais c'était bien plus fort que moi. Et on n'en parlait pas entre nous, peut-être parce que Mère souffrait de ça, et nous, on souffrait de la voir souffrir. La souffrance, ce n'est pas une chose facile à partager. Il se passait des choses dans la tête de P'pa, parce que fabriquer des meubles pour personne, avec du vieux bois ramassé dans les rues de Montréal, ça ne paraît pas très normal. Mais tant qu'il faisait des meubles, ça allait. Seulement un jour, il s'était mis à creuser. Tout au fond du sous-sol. Il avait pris pelle et pioche et avait commencé son trou.

Charlotte, si je l'embrasse un jour, on ne sait jamais, je l'embrasserai sur les yeux. Sur son œil gauche d'abord, celui qui va de travers. Et sur le droit après, pour ne pas qu'il se vexe.

Aujourd'hui, il y a encore une ambulance devant chez Charlotte. Décidément, les voisins doivent se dire que c'est contagieux. Épidémie d'ambulances dans la rue. Là, je sais que ce n'est pas grand-chose parce que j'ai l'habitude maintenant. Quand c'est plus grave, les portes arrière de l'ambulance sont grandes ouvertes. Là, tout est calme, les portes sont fermées, je ne sens rien, ça doit être une fausse alerte. Par la fenêtre, de l'autre côté de la rue, Charlotte me fait signe que sa mère est bourrée (ici, on dit « pactée ») et qu'elle a encore menacé le suicide. Avec Charlotte, ce langage des fenêtres, à la manière des sourds-muets, nous aide beaucoup. Des fois, même en pleine rue, on se parle comme ça.

Mère me demande de tirer le rideau, de ne pas regarder, et qu'est-ce que je peux bien avoir à me mêler des affaires des voisins. « Pour vivre heureux, il faut vivre caché et avoir des relations courtoises avec ses voisins. » C'est Mère qui le dit. On n'a pas à regarder ce qui se passe chez les autres. Chacun chez soi. Je me demande à quoi servent les fenêtres, alors. Mais ce qu'elle ne sait pas, Mère, c'est que c'est par les fenêtres qu'on s'est connus, Charlotte et moi. Et avant que je ne tire le rideau, Charlotte me rappelle le rendez-vous de demain. On a prévu d'aller chercher un cadeau d'anniversaire pour l'oncle Henri.

Je ne sais pas de quelle manière c'est son oncle, Henri, peut-être le frère de son père, mais en tout cas, je ne le vois jamais venir chez Charlotte. Henri est un drôle de personnage. Il est petit et maigre et, l'été, il porte toujours des jeans serrés, ça le fait ressembler à un personnage de bande dessinée. Il a les cheveux très noirs, collés par du gel, avec une raie sur le côté et une moustache aussi. Il porte toujours un tee-shirt blanc avec des manches courtes. Et son jean clair, un peu usé, lui moule les couilles (ici on dit « les gosses »). C'est bizarre, mais ça ne le gêne pas, on dirait.

Au début, Charlotte ne me disait pas, pour Henri, mais elle a fini par me dire quand elle a compris que je ne dirais rien, parce que je peux être très muet avec les secrets des autres. Déjà, le mot « homosexuel » me paraissait compliqué, et longtemps je me suis demandé à quoi ça pouvait ressembler. C'était très étrange de parler de ça avec Charlotte, je me sentais gêné, mais elle en parlait comme du beau temps. Et puis de toute manière, à Montréal, c'est autorisé, l'homosexualité, même dans la rue. Ce n'est pas comme au Sénégal, ou dans d'autres pays bien pires encore, où tu vas en prison directement et on peut te jeter des pierres, t'insulter, humilier ta famille et brûler ta maison. Ou même te tuer, parce que je crois qu'en Ouganda, c'est comme ça. Au Sénégal, je n'en avais jamais vu, des gays, ou peut-être sans le savoir parce que ce n'est pas marqué dessus, mais j'en avais entendu parler comme du diable, comme de Satan, comme de la honte d'une maison. Une famille chez qui ils tombent et voilà que c'est le désespoir de tous les parents et les mots cruels de tout le voisinage. Là encore, il faut vivre caché. Au Sénégal, on dit « homme-femme » ou « *goor jigeen* » et ça, vrai-ment, c'est la pire des choses. C'est même considéré comme un très gros péché de les fréquenter, un péché qui t'amène tout droit en enfer. Dans la rue, mes amis disaient que jamais il ne faut les regarder dans les yeux, sinon ils te transmettent le mal. Quand tu es enfant, si tu as des manières de fille, on se moque de toi, et si on te traite d'homme-femme, alors la vie est mal partie, on te traitera de petite nature, de mauviette, de femmelette. Pour ça aussi, là-bas, on dit « *tote* ».

Mais moi, je n'ai rien vu de tout ça chez Henri, ni de diable, ni de mal, ni de choses du péché. D'abord parce que je ne savais pas avant que Charlotte me le dise, et je l'ai même regardé dans les yeux combien de fois avant de savoir ? Plein de fois, parce que quand je dis bonjour, P'pa m'a dit de toujours regarder dans les yeux, et alors

Henri, en lui disant bonjour tant de fois dans les yeux, bah je n'ai rien senti et je n'ai pas eu le mal. Henri est un homme-femme, un homme qui aime les hommes (ici on dit « gay », ou même « tapette » à l'école, et c'est presque marrant parce que *tapet*, en wolof, ça veut dire « peureux »). Mais il ne faut pas le dire, ici, tapette, parce que ce n'est pas du respect. Et ici, au Canada, on doit du respect à tout le monde.

Si Charlotte ne m'avait pas dit, peut-être que je l'aurais su plus tard, par la bouche de quelqu'un d'autre. Mais quoi ? De toute façon, je ne le dirai pas à mes parents, à moins que quelqu'un aussi leur dise, et qu'alors ils m'empêchent de l'approcher. Alors je leur dirai que moi, Henri ne me fait pas peur, parce qu'il est l'oncle de Charlotte et que j'ai confiance en Charlotte et qu'elle ne m'aurait jamais présenté au diable.

Henri habite un peu plus à l'est, sur la rue Masson, de l'autre côté de l'avenue Saint-Michel, dans un sous-sol aménagé, un *bachelor*. C'est un endroit doux comme du coton où j'aime bien me retrouver avec Charlotte. C'est que l'oncle Henri vit seul dans son appartement avec un aquarium et plein de variétés de poissons de toutes les formes et de toutes les couleurs (ma sœur, elle dit « passion » pour dire « poisson », et Henri, oui, il a la passion des poissons). Il y en a un à grosse bouche qui ressemble à un mini requin et qui passe sa vie collé à nettoyer le verre de l'aquarium. Henri l'appelle « le nettoyeur », il me dit que c'est un plécostomus. Et c'est comme ça qu'il se nourrit, en nettoyant les saletés qui s'accumulent sur la paroi. Henri a une maternité aussi. Une maternité, c'est un autre aquarium à part, avec des lumières spéciales, où il met une mère poisson quand elle est enceinte et qu'elle va accoucher de tous ses œufs, parce que sinon, les autres poissons les boufferaient tous. Moi, je suis assez fasciné par cette vie sous-marine dans le sous-sol du *bachelor* d'Henri et quand je vais chez lui, je ne peux m'empêcher de me coller à la vitre et d'observer ce monde poissonneux. Henri nous a expliqué que la vie des poissons dans un aquarium ressemble à la vie des hommes sur la terre. Il y a les forts, les faibles, les qui-passent-partout, les cons-qui-s'en-sortent et les ratés-qui-meurent-vite.

Je me souviens de ma première visite avec Charlotte. Henri nous avait montré un des poissons, un petit gris avec des nageoires noires, qui se cache souvent sous les roches, et qui ne montre jamais son corps en entier.

— Ça, c'est moi ! avait dit Henri. Si j'étais poisson dans cet aquarium, ou si notre monde était un aquarium géant, alors je serais ce poisson.

On s'était regardés avec Charlotte. On avait souri parce que l'idée était intéressante. Henri avait enchaîné :

— Cherchez bien, observez-les, vous allez sûrement vous reconnaître en poisson dans cet aquarium.

J'ai ri, parce que moi, je ne suis pas un poisson, je suis un margouillat Agama. Je suis sûr que dans ma vie d'avant, j'ai été un margouillat, parce que j'ai la peau qui veut ça, j'ai comme des écailles de reptile avec ma peau sèche et Mère est toujours en train de mettre du beurre de karité sur mon corps de lézard. Ici, à Montréal, dans les parcs, je n'ai jamais vu de margouillat, je ne sais même pas si ça existe. Sûrement trop froid. Mais il y a des écureuils en pagaille qui pullulent, ils sont les rats de Montréal, ils sont voleurs, font les poubelles et se font écraser sur les routes.

Dans l'aquarium d'Henri, c'est Charlotte qui m'avait trouvé, finalement. Elle avait indiqué un poisson tout noir, je ne sais pas pourquoi elle avait choisi celui-là, tout noir, avec des nageoires immenses et très fines qui flottaient sur son dos et sur son ventre.

— Il n'a pas les mêmes cheveux que toi, elle s'était esclaffé, et Henri aussi, mais je le trouve beau. Tu ne trouves pas, Henri ?

— Et toi, tu es où dans l'aquarium ? que je lui avais répondu.

Charlotte n'avait rien dit, elle avait réfléchi longtemps en regardant l'aquarium et d'un coup elle s'était retournée :

— Je ne suis pas dans cet aquarium.

— Mais tu es où, alors ? La vie, c'est un aquarium, tu es forcément quelque part, lui avait répondu Henri.

— Je suis là.

Et elle avait indiqué la maternité, la mère dans la maternité.

— Tu es la mère, avait demandé Henri. Mais pourquoi la mère ?

— La mère... Parce que... Parce que la merveilleuse mère veille.

— C'est qu'elle a un côté poète, cette Charlotte, une artiste, je vous dis, moi.

Puis il l'avait prise dans ses bras et l'avait étreinte comme un papa ferait à sa fille.

Alors demain, il faudra aller chercher le cadeau de Henri, parce qu'il le mérite bien. Lui et Charlotte, les poissons et la poésie, c'est tout un petit monde qui me convient et qui me fait un peu oublier que P'pa, il y a seulement cinq jours, avait arrêté de creuser son trou et était embarqué dans l'ambulance.

Les jours avant que P'pa soit emporté par l'ambulance, Mère était très fatiguée et déprimée. Ça faisait plus de trois mois qu'il était barricadé dans le sous-sol. P'pa s'était créé un nouveau monde avec tous les objets ramassés dans ses déambulations, et il avait mis des barrières pour s'isoler avec les planches et les ferrailles trouvées.

Il ne voulait plus voir personne. Il ne voulait pas être vu. Il ne voulait parler à personne. Il errait comme une ombre dans le sous-sol de l'appartement. Un sous-sol même pas aménagé, juste une dalle en ciment ébréché. Une minuscule fenêtre vitrée et grillagée tout au fond, qui donne sur la ruelle. Il se chauffait comme il pouvait avec un petit chauffage électrique monté sur des roulettes qu'il avait acheté dans une vente de garage, rue Holt. Il passait ses journées et ses nuits dans cet endroit où même le plus *boudiouman* des écureuils n'aurait pas voulu vivre. P'pa y creusait un trou. Un vrai trou. Comme un puits. Et il ne fallait pas que ça se sache, surtout pas par la propriétaire irlandaise, car ça ne conviendrait pas, ce n'est jamais prévu dans un bail de faire un trou au fond du sous-sol, et elle finirait par appeler la police. Et ça serait une affaire de plus à notre compte de migrants.

Parfois, je me réveillais la nuit et je n'arrivais plus à me rendormir. Je cogitais dans tous les sens, sans trouver de solution. Alors, j'allais rendre visite à P'pa pendant qu'il dormait. Je l'approchais doucement, je me glissais sous la grande planche qu'il avait mise en travers, entre les deux tables, camouflée par les toiles de rideau de douche, et là, j'arrivais à me faufiler comme une souris. Et je l'observais. Il s'était mis un matelas sur d'autres planches, ça lui faisait comme un lit. C'était tout au fond, près du mur, et c'était tout gris, tout froid, lugubre. Je lui avais descendu une autre douillette pour qu'il se couvre bien, c'est Mère qui m'avait demandé. Il respirait fort quand il dormait, mais il respirait, au moins. Ça me rassurait. Parce que oui, je me faisais plein de pensées bizarres et je me demandais comment la vie pourrait être si je n'avais plus de père.

Il avait cassé une partie de la maigre dalle en ciment et creusait directement dans la terre, avec une pelle, une pioche, une barre de fer, et avec ce qui pouvait l'aider à mieux creuser. Il y avait un gros tas de terre à côté, qui s'amoncelait et commençait à être plus haut que moi. Une fois, je m'étais avancé pour essayer de voir dedans, apercevoir quelque chose. Le trou était large comme un fauteuil, mais je n'en voyais pas le fond. Sur les flancs, il avait fait d'autres petits trous, comme des encoches, qui devaient l'aider à monter et à descendre.

Le fond était noir, silencieux, mystérieux, je m'y sentais aspiré et j'avais vraiment peur d'y tomber. Je ne comprends toujours pas ce qu'il voulait en creusant ainsi ou ce qu'il cherchait. Je restais figé devant ce trou. Ça aurait pu être comme une tombe, pour un mort debout. Je me disais qu'il creusait le trou de son cercueil, qu'il l'aurait bientôt fini et qu'ensuite, il voudrait sûrement s'y glisser et se laisser mourir de solitude. Et j'avais mal avec cette pensée, car P'pa mort était impensable pour moi. Je faisais demi-tour, effrayé par toutes ces images, et je me replaçais, accroupi, derrière la grande table renversée, sa barricade.

À quoi voulait-il en venir ? Quel était son but ? Voulait-il traverser la terre ? Je me demandais quel pays ou quel océan était ici, sous moi, à l'exact autre côté de la Terre. Du Québec, si on creuse tout droit, on arrive où ? Certains disent que l'enfer est au centre de la Terre. Je ne crois pas que P'pa voulait aller en enfer. Ou alors, traverser l'enfer, c'était le chemin qu'il pensait le meilleur pour atteindre le paradis. Peut-être que le paradis est derrière l'enfer. Et si c'était la vie, l'enfer ? Je me posais trop de questions alors que P'pa ronflait comme une marmotte et ne s'en posait sûrement pas autant. Mais P'pa, réponds-moi ! que je me disais intérieurement.

Au début, on lui posait des questions, avec Bibi. « Pourquoi tu restes dans le sous-sol ? » Quand il répondait, il disait : « C'est rien, laissez-moi... Je vous demande la paix ! » Je l'avais dit à Mère pour qu'elle nous donne une explication. « Ça va aller ! » C'était sa réponse. Mais on n'a pas eu d'autres explications. Peut-être qu'elle n'en savait rien, elle non plus. Peut-être qu'elle avait peur de savoir. Peut-être qu'il était trop tard déjà. Ou que la réponse était ailleurs. Dans un autre lieu ou dans un autre temps.

Un soir, Mère se faisait vraiment une tête toute seule. Elle était devant la télé allumée, mais elle ne la regardait pas. Elle était anxieuse. Ses yeux clignaient fort mais n'étaient pas là. Ils fixaient seulement l'image, et j'aurais pu changer la chaîne, elle ne s'en serait pas aperçue. On aurait dû être couchés à cette heure-là, mais elle ne nous avait pas dit d'aller nous coucher. Alors on était restés debout. Peut-être qu'elle voulait sentir un peu de vie et de chaleur auprès d'elle. Mais je ne suis pas très câlin et je n'osais pas y aller. J'étais sur l'autre fauteuil, en face d'elle, le fauteuil Air Canada que P'pa avait fièrement ramassé sur la rue Laurier. Et je l'observais. Mère. J'avais pitié sans comprendre pourquoi. Elle se faisait une tête toute seule parce que P'pa n'avait pas mangé ce soir-là, ni le soir d'avant, et que ça devenait récurrent, son problème de manger, il ne touchait que très peu au lunch que je lui déposais tous les matins avant d'aller à l'école. Elle était inquiète, parce que dans la vie, même si on est en bonne santé, quand on arrête de manger, ce n'est jamais bon signe.

Puis, elle s'était levée du fauteuil et nous avait demandé de la suivre dans sa chambre, Bibi et moi, pour des explications. Elle n'avait personne à qui parler de cette histoire ici, et elle ne voulait pas non plus qu'on en parle. C'est qu'on n'avait pas d'amis ici, juste des connaissances, mais pas suffisamment proches. Et on ne voyait pas grand monde depuis notre arrivée, on était pauvres en relations. Ici, c'est un peu chacun dans sa maison avec ses enfants et sa télé. Les gens se côtoient, se disent allô, mais ça ne va pas beaucoup plus loin. Chacun sa vie. Et les problèmes, ce n'est pas avec tout le monde qu'on peut les partager. On avait bien croisé deux ou trois familles de Sénégalais, rencontrées ici ou dont P'pa et Mère avaient les contacts avant de venir. Mais pour eux aussi, c'était chacun dans son coin, chacun sa vie, chacun ses rêves. De toute façon, P'pa trouve que les Sénégalais ne sont pas très solidaires quand ils sont immigrés, ce n'est pas comme les Libanais ou les Chinois. Tout le monde se méfie de tout le monde, il y a des jalousies, les gens sont curieux, ils viennent chez vous une fois, puis, comme vous ne les impressionnez pas, ils ne s'intéressent plus à vous. Ou peut-être que c'est P'pa qui leur fait peur, parce qu'il n'est jamais complètement Sénégalais, et ses réactions peuvent être parfois bizarres pour eux. Bizarres, oui ! Bizarres jusqu'à creuser des trous, sans raison apparente.

— C'est une crise mystique, vous comprenez ? Votre père, il y a quelque chose qui... De profond, que l'on ne peut pas maîtriser. Mais il est fort, ça va se régler.

Assise sur son lit avec nous à ses côtés, Mère avait essayé de nous rassurer. Je ne savais pas vraiment ce que voulait dire « crise mystique », je comprenais juste que c'était en rapport avec le Sénégal et nos traditions. Depuis quelque temps, Mère communiquait presque tous les jours avec sa mère par Skype ; elle parlait aussi à la sœur de P'pa qui vit à Dakar, qui lui disait le contraire de ce que lui disait ma grand-mère. Alors Mère ne distinguait plus les sons de cloche, et moi non plus, parce qu'elles échangeaient en wolof, et je commençais à oublier mon wolof. C'est que mes parents se parlent en français entre eux, rarement en wolof, parce que P'pa, il n'est pas très bon en wolof, vu qu'il vient de Grenoble. Comme quand il disait ironiquement avec son accent français : « Je suis un Noir de Grenoble, pas une noix de Grenoble. » Et après, il éclatait de rire, d'un grand rire à grande bouche comme Omar Sy, l'acteur. Il faisait ça pour se moquer de ceux qui se moquaient de lui. On avait dû lui dire ça quand il était jeune en France. Parce que quand même, les Français sont plus facilement racistes, moins gênés de l'être, plus cyniques. C'est comme une seconde nature. Ils disent des choses dures qu'ils croient être des banalités. Mais ça blesse, et quand tu souffres de ces remarques banales, car la langue française, elle en a beaucoup, des petites phrases racistes ou des expressions banales, tu as du mal à te mettre dans une peau de Français. C'est pour ça que P'pa ne voulait pas qu'on aille en France et avait préféré le Québec comme terre d'accueil. Ici, il dit que les gens ont plus de retenue, parce qu'eux-mêmes savent ce que c'est d'être opprimés ou minoritaires. Bon, ce n'est peut-être pas si différent que ça de la France, mais au moins, c'est mieux caché, plus délicat.

Comme le refus de manger de P'pa se répétait, ça devenait plus grave, le secret allait sortir du trou, et le jour allait devenir la nuit pour Mère et pour nous. Mère n'avait plus eu d'autre choix que de se retourner aussi et d'essayer d'aller chercher des solutions vers le Sénégal. Ce qu'elles se disaient, Mère et sa mère Mamoumy, au sujet de P'pa, m'échappait. Je comprenais juste que Mère voulait essayer de le soigner à la manière du pays. Et qu'elle attendait des remèdes qui devaient arriver par avion, par l'amie de la sœur de P'pa, qui devait venir de Dakar en mission de travail à Montréal. Mais son voyage avait été décalé à cause du volcan qui avait rempli le ciel de nuages de cendres et bloqué les aéroports. Et Mère, elle y avait encore vu un signe, parce qu'elle disait que tous les éléments étaient contre P'pa, mais moi, je me demandais comment il pouvait y avoir toute une éruption de volcan en Islande et une pagaille aérienne pour un seul homme. Mère avait peut-être raison, elle avait sa manière de voir les choses. Moi, je ne sais pas encore comment les voir, ces choses-là. Je les observe et je les laisse se dérouler. Si j'en comprends une moitié aujourd'hui, c'est bien, et plus tard, sûrement, je comprendrai l'autre moitié.

•

Ici, il y a bien des marabouts, des voyants et des médiums. Mère ramenait toujours le journal Métro à la maison et j'avais bien vu que certains Africains, je ne sais pas si c'est des Sénégalais, des Maliens ou des Guinéens, mais certains s'appellent Maître Demba, Professeur El Hadj ou Grand Voyant Amadou, et bien ces marabouts disent qu'ils peuvent régler toutes sortes de problèmes, car ils sont très puissants et ont plein de dons mystiques qu'ils ont ramenés d'Afrique. Mais Mère, je crois qu'elle ne leur faisait pas confiance, parce qu'elle ne les connaissait pas, ils pouvaient être des charlatans, alors elle avait préféré se tourner d'abord vers des marabouts de famille, ceux de son pays ou de sa région.

La femme qui devait amener les remèdes du marabout de Mamoumy dans ses bagages était finalement arrivée à Montréal. Elle s'était gentiment déplacée jusqu'à la maison et nous avait apporté ce colis. Mère lui avait évidement caché que sous ses pieds, au sous-sol, se tenait le problème, lui disant juste que P'pa n'était pas rentré du travail. Car elle ne savait pas ce qu'elle avait transporté pour nous, cette femme. Au départ de Dakar, on lui avait juste dit que c'était de l'encens et des souvenirs. Parce qu'ici, c'est très protégé, ils ne veulent pas qu'on entre avec n'importe quoi à la frontière et s'ils t'attrapent avec des produits inconnus ou qui sentent bizarre, ils peuvent tout jeter s'ils ne savent pas ce que c'est et te coller une amende. Mais là, la femme était passée sans encombre et elle nous avait enfin remis ce paquet tant attendu que Mamoumy avait fait préparer pour P'pa. Cela avait redonné beaucoup d'espoir à Mère. « Nous allons le faire revenir avec nous », disait-elle. Le faire revenir avec nous. C'était comme réveiller un mort. Comme vouloir faire ressusciter P'pa. Mais moi, je pensais qu'on n'y arriverait pas, parce que le soigner sans qu'il s'en aperçoive, à moins qu'il soit mort ou sous anesthésie, je ne voyais pas comment on allait s'y prendre.

Mère était persuadée que P'pa avait été marabouté. Au Sénégal, c'est une explication générale, on croit beaucoup à ça, et ailleurs aussi, parce qu'ici, j'ai entendu qu'à Haïti, c'est pire, c'est une vraie religion. Mère disait qu'il avait été ensorcelé pendant le dernier séjour qu'il avait fait dans le Saloum (sa région familiale, au sud de Dakar, où il y a plein d'îles et une grande rivière), c'était quelques semaines avant qu'on quitte Dakar ; et elle disait que c'était maintenant que les effets faisaient leur effet. Dans le paquet qui nous venait de Mamoumy, il y avait plusieurs remèdes, et tous ces remèdes conjugués devaient aider P'pa à remonter à la surface de sa vie. Elle nous avait remis en garde, Mère, de ne pas en parler autour de nous, que ça ne regardait que nous, parce que ce sont des affaires d'Africains et que les Blancs ne comprennent rien à ça. Parce que toutes ces choses-là, ces remèdes, ces pratiques, ces croyances, c'est intime, ça ne peut pas se dire à tout le monde. Ce sont des secrets que l'on garde entre nous. Parce qu'il y en a qui croient à ça et d'autres pas. Et ceux qui ne croient pas peuvent casser la confiance de ceux qui croient et surtout annuler les effets du remède. Les mauvaises paroles des uns peuvent vraiment nuire aux croyances des autres. Et que même ici, au Québec, on pouvait nous causer des problèmes si ça se savait, parce qu'ils appellent ça « des pratiques irrationnelles ». Alors nous, on sait toujours être muets quand Mère le demande. Et on l'avait écoutée nous expliquer sa version des choses.

P'pa aime le Saloum, une région du centre du Sénégal, c'est « sa brousse familiale », comme il dit. Le village s'appelle Passy, non loin du fleuve, et P'pa possédait un terrain là-bas, sur lequel il avait planté une cinquantaine de manguiers. Avant de partir pour le Canada, il s'y est rendu, il voulait dire au revoir à ses arbres, parce que les manguiers, ça n'a besoin de personne pour vivre, il faut juste cueillir leurs fruits. Arrivé à Passy, il a trouvé des inconnus en train de poser des clôtures tout autour de son verger et on lui a répondu que cette terre n'était pas sa terre, que ses manguiers n'étaient pas ses manguiers et que désolé, mais tout le travail qu'il avait abattu ici et l'argent qu'il avait mis dans ce terrain étaient perdus pour lui, et qu'il oublie même de remuer ciel et terre, parce que toute cette zone appartient à un grand imam marabout (ce genre d'homme religieux qui mélange les cartes de la religion et du fétichisme), et que Vieux Abou, celui qui lui avait vendu ce terrain il y a dix ans, s'était moqué de lui, et il était mort depuis. Mais P'pa savait pour Vieux Abou, puisque c'était lui qui défrichait la parcelle de temps en temps, et on lui avait bien dit qu'il était mort, Vieux Abou, et il en avait été triste. P'pa ne s'est pas inquiété, puisqu'il avait des papiers fonciers en règle, acte de vente et tout. Alors il s'est rendu au conseil rural, mais on lui a dit que ces papiers n'étaient pas valables parce que c'étaient ceux du marabout qui l'étaient et que, de toute façon, il y avait eu une délibération officielle qui avait attribué ce terrain au marabout, et aussi que celui qui lui avait vendu ce morceau de terre, ce Vieux Abou qui était déjà mort, avait l'habitude de ce genre de magouille.

P'pa n'en revenait pas, tout se mélangeait dans sa pauvre tête. Il est alors allé voir la femme de Vieux Abou, et cette femme respectable, malgré le fait qu'elle ne devait pas parler, parce que ce sont les hommes qui parlent aux hommes dans ces régions-là quand il s'agit de choses comme ça, cette femme lui a dit que tout le monde mentait, parce qu'elle aussi, dans cette affaire, elle avait perdu sa parcelle de maraîchage avec un puits dessus qu'elle avait creusé avec son mari, et qu'en plus, le verger de P'pa faisait partie d'un lot de terrains qui allaient être aménagés pour la construction d'un centre de culture et de transformation de crevettes. Elle a ajouté que ce n'était pas un secret ici, que tout ça, c'était une affaire politique, et que ça s'était réglé à Dakar dans les cabinets des ministres. Elle a baissé les bras, ensuite, et s'est mise à pleurer, en se demandant d'ailleurs de quoi son mari était mort parce qu'il était mort en bonne santé, sans qu'aucune maladie ne soit derrière lui.

P'pa est resté sans voix parce que des fois, on ne peut plus parler quand on a mal. Parce que le départ pour le Canada approchait, et il savait qu'il ne verrait plus ses arbres avant longtemps, mais il espérait seulement que les arbres continuent à pousser, même si c'est les gens du village qui cueillent ses mangues, et qu'un jour au moins, il puisse y revenir avec ses propres enfants pour y manger quelques mangues bien juteuses. Il avait vraiment espéré ça. Mais là, en parlant avec cette femme, il a compris qu'il ne pourrait plus rien parce que la justice n'est pas toujours juste, parce qu'en Afrique, on aime bien mélanger les choses, les lois de la ville et les lois de la campagne, les lois du gouvernement, les lois du bon Dieu et les lois de la nature, et que cela demanderait des mois et même des années pour régler ce problème, s'il pouvait le régler un jour, et que pour un terrain qui valait deux mille dollars, est-ce que ça en valait la peine ?

Il est allé se plaindre à la sous-préfecture, puis au conseil rural, il a rencontré quelques notables et le chef du village de Passy, mais personne ne lui répondait clairement et tout le monde lui faisait comprendre qu'il se battait contre une montagne s'il voulait porter plainte. Alors le lendemain, il a demandé à la femme du Vieux Abou si elle ne connaissait pas des paysans qui pourraient l'aider pour la nuit. Et comme elle avait compris ce que voulait P'pa, elle lui a trouvé des hommes vaillants. Et avec ces hommes, pendant toute une nuit sans lune, sur son terrain du Saloum, ils ont coupé les manguiers, à la hache, un par un. Et au petit matin, tous les manguiers étaient à terre. Le champ de P'pa était rasé. Je ne sais pas si P'pa a pleuré, Mère ne nous l'a pas dit. Et je ne lui ai pas demandé. Mais moi, quand j'ai entendu ça de la bouche de Mère, j'ai eu des larmes qui m'ont piqué et ont voulu sortir de mes yeux. Mais je les ai retenues, car je ne voulais pas pleurer devant Mère en plus de tous les soucis.

P'pa a ensuite été amené au poste de police de Passy où il a passé la nuit pour intrusion sur terrain d'autrui et dégradation de richesses ; il devait être déféré à Kaolack, qui est la capitale de la région, mais finalement, le sous-préfet est intervenu parce que quelques villageois sont venus plaider pour P'pa et que c'étaient ses propres manguiers qu'il avait plantés et abattus, et qu'en plus, tous les terrains devaient être rasés. Donc, en quelque sorte, il avait facilité le travail du faux propriétaire. Le problème, c'était que P'pa a passé presque trois jours sans dormir avec cette affaire, et qu'il s'est fâché avec beaucoup de monde à Passy, parce qu'il a dit tout haut des vérités qui blessent et qu'il a annoncé qu'il allait en parler à des journalistes pour que ça se sache, parce que quelques personnes haut placées avaient des gros intérêts avec ce projet de développement de culture de crevettes, c'était beaucoup d'argent dont on ne connaissait pas la couleur, même s'ils disaient que c'était la coopération italienne et que, vraiment, l'argent, ça peut rendre méchant ou faire perdre la tête.

Mère pensait que c'est durant ces trois jours que P'pa a reçu un sort et que le sort apparaissait ici, au Québec, plus d'un an après. Et c'était son explication du trouble qui touchait P'pa depuis plusieurs semaines.

— Mais pourquoi il creuse ? ai-je demandé. Je l'ai entendu dire qu'il cherche l'eau.

— Je... Je crois qu'il pense à ses arbres, a répondu Mère. Et un arbre, quand il est en terre, il cherche l'eau. Alors... Je crois... Vous savez...

Elle ne savait pas plus que nous. Elle imaginait ça. Et moi, je pensais à ses manguiers que je n'avais jamais vus et que je ne verrais jamais. Je me disais aussi que creuser, c'était peut-être une manière de rechercher sa mémoire depuis que le *boudiouman* la lui avait volée. Mais ce n'était pas plus logique que ce que m'avait répondu Mère. On se regardait, Bibi et moi, on essayait de trouver la réponse dans les yeux l'un de l'autre, mais le peu qu'on voyait nous faisait peur. Et Mère aussi, on évitait de la regarder dans les yeux. Parce que nos yeux à tous disaient que P'pa devenait fou à petit feu. C'étaient nos yeux qui nous disaient ça, mais nous, évidemment, on ne voulait ni l'entendre, ni le penser.

Alors, dans la chambre de nos parents, Bibi et moi, on avait regardé Mère déballer les remèdes sur une serviette de bain propre qu'elle avait étalée sur son lit. Elle voulait bien qu'on reste, mais normalement, on n'aurait pas dû, parce qu'on est encore innocents et que ces choses-là ne regardent que les adultes. Elle savait qu'on ne parlerait pas de ça à quiconque et puis, de toute façon, elle n'avait personne d'autre. Pour elle, ce soir-là, on était des adultes. Mère avait extrait les remèdes un à un du paquet. Il y avait une boîte en plastique transparent avec du sable orange dedans, il y avait un sachet avec des petites feuilles grises et de la noix de cola séchée râpée, il y avait une enveloppe avec deux lettres à l'intérieur. L'une était écrite en français, c'était le mode d'emploi des remèdes que lui avait écrit ton-ton Alou quand le marabout avait expliqué les choses. L'autre lettre était écrite en arabe avec une grosse encre noire épaisse, on aurait dit du feutre qui avait coulé. Cette lettre en arabe, c'était celle qu'on allait tremper dans un mélange d'eau et de lait frais et y ajouter les feuilles grises et la cola râpée, pour en faire un liquide médicament que P'pa devait se mettre sur tout le corps. Il y avait aussi un gri-gri en cuir jaune cousu qui formait comme une médaille, pendu à une ficelle noire que l'on s'attache sur le haut du bras gauche :

— Ça, c'est pour quand il sera remis de son problème, pour éviter que ça le retouche.

— Mais... Et le sable, alors ?

Mère avait bien relu le mode d'emploi, qui disait que le sable orange devait être dispersé dans toute la pièce où se trouve P'pa (c'était tout le sous-sol !) et ça, seulement un vendredi entre minuit et une heure du matin, c'est-à-dire dans la nuit d'un jeudi à un vendredi.

— Mais on est jeudi, Mère !

— Justement, c'est ce soir... Cette nuit. Il ne faut pas perdre de temps. Et c'est toi, Souleye, qui le fera, car tu es le plus petit, le plus discret... Tu en disperseras partout dans le sous-sol, tu iras jusque là où dort ton père, sans te faire voir... Et demain, nous tâcherons de lui passer le liquide sur le corps.

Voilà. J'étais dû pour le faire. Parce qu'on était jeudi soir et que le lendemain, c'était vendredi et que c'est le vendredi que ces choses-là doivent être menées, car le vendredi est le jour saint au Sénégal et pour l'islam. Et que l'islam au Sénégal se mélange aux croyances animistes et fétichistes et que Mère n'avait aucun doute sur la force de ces remèdes. Même s'il y avait école le lendemain, et que ça devait me faire passer une mauvaise nuit, j'étais dû pour cette tâche aussi parce que c'était dans l'ordre des choses. J'étais le seul capable de le faire. Je le savais.

Mère avait expliqué qu'on devait disperser le sable orange d'abord :

— Ce sable prépare le terrain de la guérison, il absorbe les mauvaises choses qui flottent dans l'air et sur la terre... Ensuite, on doit lui verser cette préparation sur le corps, de la tête aux pieds. Ça doit bloquer le développement de son mal. Les écrits en arabe, qui sont des sourates du Coran, doivent permettre de tuer le mal dans le plus profond de son être. Avec l'aide de Dieu et de son prophète.

— Et si ça ne marche pas ?

— Ça va marcher. Il faut y croire.

Il fallait y croire. Mais moi, il y avait toujours ce problème qui me tracassait au fond : vu qu'on ne pouvait plus vraiment l'approcher, je ne voyais pas comment on allait faire pour lui passer cette préparation sur le corps sans qu'il réagisse. Finalement, c'est Bibi qui a trouvé la bonne idée : la douche, le seau, comme chez Mamoumy à Dakar. Parce qu'on connaissait ses habitudes, on savait quand il venait à la douche, et si pour lui, se passer de manger n'était pas un problème, il n'était pas question de ne pas prendre sa douche tous les jours. Il remontait du sous-sol les matins après le départ de tout le monde ; là, il faisait ses besoins et sa toilette, parfois il mangeait un peu et il redescendait. L'idée, alors, c'était de lui faire croire à une coupure d'eau, parce qu'à Dakar ça coupait parfois, comme l'électricité. Alors il se dirait qu'ici aussi tout arrive.

Pour cette fausse coupure d'eau, on avait pensé à fermer le robinet d'alimentation sous l'évier dans la cuisine. Puis, on avait posé un seau d'eau plein à côté de la baignoire, avec de l'eau bien chaude. Et on avait mis le remède dans le seau pour que, se rendant compte que l'eau est coupée, il se lave avec cette eau. Du moins, c'était notre seul plan pour le remède liquide. Parce que disperser tout le sable orange dans le sous-sol et dans l'escalier, ça, ce n'était pas compliqué.

Mère m'avait réveillé vers 23h30, ce jeudi soir. J'avais mis du temps à comprendre ce qui se passait quand elle m'avait secoué dans mon lit, parce que je croyais qu'on était le matin et qu'il fallait aller à l'école. Mère m'avait donné la petite boîte transparente dans laquelle était contenu le sable.

— Il vient d'où, ce sable, Mère ?

— Du Sénégal.

— Oui, mais de quelle plage ?

— Il ne vient pas d'une plage. C'est du sable de terre, c'est du sable de l'intérieur du pays. Tu vois, sa couleur se rapproche du rouge de la terre.

— Mais qu'est-ce qu'il a de spécial ? Je veux dire, comment il peut aider P'pa ?

— C'est un sable béni. Il a été béni par le marabout de ta grand-mère pour tenter d'absorber le mal qui s'est emparé de ton père. Le sable, c'est la finesse, il se glisse partout, il est solide, liquide et volatile... Il a tous les états, tu comprends ?

— Un peu... Mais comment il l'a béni, le marabout ?

— Ça, je ne sais pas, avec ses prières, avec sa connaissance, il a ses recettes, ce sont ses secrets... Tu sais, le marabout travaille avec les forces mystérieuses de la nature, les forces qui nous relient à Dieu.

Et, en pleine nuit, pendant que Bibi et Lila ronflaient, avant que minuit trente se présente et que je descende répandre le sable magique, Mère avait continué ses explications sur P'pa et l'Afrique.

En Afrique, on aime le mystère et la force du mystère. P'pa a toujours dit qu'en Afrique, les gens croient en Dieu et croient en la magie en même temps, et c'est ça qui créé leur propre vision du monde et comment ils expliquent les choses incomprises. Parce que la religion, toutes les religions, sont nouvelles sur la terre, elles ne sont pas vieilles, quelques milliers d'années seulement ; mais l'Homme, lui, il est là depuis beaucoup plus longtemps et depuis que l'Homme est Homme, il a toujours eu besoin de chercher et de trouver des explications. Et ça, ça remonte à très loin parce que même les Amérindiens ici, ils sont animistes depuis leur origine, ils ont toujours communiqué avec les esprits qu'ils voient en rêve et sont habités de croyances sur les arbres, les roches, les rivières, les nuages et les animaux. Mais ils ont été obligés de se dissoudre aussi. P'pa dit que l'histoire de l'humanité, c'est une lente histoire de dissolution et de transformation. Et on a tous été des animistes, nous les Hommes. Et P'pa, même si au Sénégal il ne faut pas le dire fort, parce que là-bas, Dieu est numéro un, P'pa, lui, il disait toujours que sa vraie religion vient d'avant les religions, c'est une religion de l'univers et de l'atome et que même si on ne peut pas appeler ça une religion, on peut appeler ça une conception des choses. Alors il se dit animiste, parce qu'un arbre est un arbre, mais il est autre chose aussi, il porte un fragment de l'âme de l'univers, et l'eau aussi, le vent, la roche, les animaux, la nuit, les nuages, les étoiles, dans leur mystère, ne sont pas seulement ce qu'ils nous semblent être. P'pa dit qu'on peut ressentir l'univers quand on est en relation avec chaque partie qui le compose, mais on ne peut pas connaître l'univers. Jamais. Et c'est ça qui nous fait peur, car on ne saura jamais. C'est le jamais, comme le toujours, ce sont des mots qui nous dépassent même si on les utilise souvent. Ce sont ces mots de l'infini qui donnent à Dieu toute sa force.

Mère disait que P'pa avait une façon de dire ça, comme les Ivoiriens : *c'est l'homme qui a peur, sinon y'a rien.* C'est la force du mystère. Pour P'pa, si on a peur, c'est d'un mystère que l'on a peur. Les gens aiment la religion parce qu'elle les rassure et les tire vers le ciel, elle les rend fiers et raffinés, et elle leur fait oublier leur condition d'animaux sur terre. P'pa dit que la religion, c'est comme un parfum pour l'âme de l'humanité et que c'est pour ça qu'elle aime la religion, Mère, parce que la religion, ça fait de l'homme un homme et de la femme une femme. Mère répondait que P'pa est un philosophe et qu'il aime se poser les questions qui n'ont pas de réponse. J'avais eu envie de lui dire que moi aussi, au fond, je ressentais les mêmes questions.

— Mais Mère, pourquoi P'pa serait touché par ça alors qu'on est ici, au Canada ?

— Tout dans cette vie sur terre est comme en Afrique : tout le mystère peut agir à distance et à retardement, là-bas comme ici, maintenant comme demain. L'homme, s'il veut faire le mal, il peut aussi utiliser la force de ces mystères, tenter de les canaliser et de les diriger contre quelqu'un d'autre.

Parce que Mère, même si elle prie Dieu, sur sa natte, à la lueur de sa bougie, elle était sûre que P'pa avait été marabouté, et qu'à distance, il était en train de subir la méchanceté ou la jalousie d'un autre homme. Je voyais que malgré sa foi en la religion, Mère ne pouvait pas échapper à cette croyance lointaine qui lui a été transmise par ses ancêtres et qu'elle veut aussi nous transmettre. Même si on est venus au Canada, dans ce pays moderne et avancé, Mère veut qu'on voie les choses comme elle les voit. Je me demandais ce que Charlotte aurait pensé de ça, de notre famille et de ces croyances. Ça me semblait être des idées impossibles à faire comprendre, que même si j'avais comparé ça aux Haïtiens ou aux Amérindiens, qui sont plus proches des Québécois que nous, la distance me paraissait très grande. Parce qu'il y a de quoi effrayer les amis avec des idées si lointaines.

Alors je réfléchissais à tout ça et Mère avait posé sa main sur ma tête pour me tenir chaud au cœur. Parce qu'avec ses explications et tout ce qu'on vivait depuis qu'on était ici, elle savait que ça peut secouer des existences et faire naître des émotions.

.

À minuit trente, je suis descendu tout doucement dans le sous-sol et j'ai commencé mon travail de dispersion. Je me voyais comme un marchand de sable, parce que tout était calme et que P'pa dormait au fond de son sous-sol. Son ronflement était comme la charrue à neige du matin, le bruit couvrait mes pas. Je devais faire comme la souris, vite et discrètement.

Je me souviens qu'il avait mis au moins trois couvertures sur lui, parce qu'il faisait *frette* ce soir-là. Pincée après pincée, comme le sel, j'éparpillais le sable orange dans le gris noir de ce long couloir sous-terrain. Et je me demandais comment ce sable tiré de la terre du Sénégal pouvait venir prendre sa place dans la terre froide de Montréal et quel effet ça pouvait avoir, de mélanger des terres, comme on mélange parfois des plantes et des arbres. Je voyais ça comme une greffe de sable chaud, et je me disais que si le sable chaud pouvait l'emporter sur la terre froide, alors peut-être, oui, P'pa pouvait guérir. Au fond de moi, je voulais faire en sorte que chaque grain de ce sable ait sa place dans le malheur de P'pa, et qu'il absorbe le mal en même temps qu'il lui réchauffe le cœur.

J'éparpillais grain de sable après grain de sable, je faisais le travail du semeur dans son champ, sauf que moi, j'essayais de semer la chance et la guérison. J'imaginais ce sable orange comme une nuée de poussières d'étoiles, quelque temps en suspens dans l'air frais et moite du sous-sol, puis tout doucement se posant sur le sol, le recouvrant d'un peu d'atomes d'Afrique et de beaucoup de mystères. Je priais alors au fond de moi plus fort que les larmes que je ne cessais de retenir. Je priais toutes les croyances de tous les hommes du monde de me rejoindre ici, à Montréal, dans ce sous-sol maudit où P'pa, petit à petit, s'égarait. En remontant l'escalier, je priais vraiment très fort, comme jamais. Je n'étais vraiment pas sûr d'avoir mis du sable partout et comme il le fallait. Si ça ne marchait pas, ce serait de ma faute, parce qu'un petit être comme moi ne peut pas faire parfaitement les choses. Mais Mère, qui m'attendait en haut des marches, m'avait dit que c'est comme les cadeaux, c'est le geste qui compte et le cœur que j'y avais mis. Alors comme j'avais mis tout mon cœur à faire ça, et sans respirer en plus, pour ne pas faire de bruit, peut-être que le sable ferait son travail.

En me recouchant, je n'avais pas pu retenir mes larmes et ma révolte contre l'existence. Je me disais que ce n'était pas normal. Qu'on n'avait pas besoin de ça pour notre adaptation ici. On avait besoin de sérénité et d'espoir, de chance et de courage aussi, mais qu'au contraire, c'était comme si tout changeait, comme si le chemin qu'on avait pris, celui qui nous avait amené ici devenait à rebrousse-poil, différent de celui vers lequel on voulait aller. Mais encore une fois, il fallait y croire, sécher mes larmes, regarder droit devant moi, le matin ce serait le vendredi, celui de la chance, P'pa prendrait sa douche avec le seau d'eau. Les remèdes feraient effet et tout rentrerait dans l'ordre.

Je priais encore le sable avant de m'endormir.

.

Mais vendredi était passé, et puis samedi aussi. Le seau d'eau avait été vidé. P'pa s'était lavé avec. Enfin, c'est ce qu'on croyait, parce qu'on avait retrouvé le seau vide. On était tous tendus à la maison, même Lila qui voulait voir son père, mais ne comprenait pas, elle savait bien qu'il était là, quelque part sous ses pieds. On attendait, sans se regarder, parce que nos yeux n'étaient pas en confiance du tout. Et on ne savait pas à quoi s'attendre, vraiment, ou quelle forme ça allait prendre, un meuble ou une explosion, une embrassade familiale ou un tremblement de terre. Oui, on attendait peut-être juste que P'pa remonte les marches du sous-sol, qu'il s'étire de tous ses bras et qu'il nous dise que ça lui fait plaisir de nous voir et que c'est une belle journée qui commence. Enfin, quelque chose comme ça. Mais ça n'arrivait pas. C'était le silence qui dominait dans la maison et P'pa ne remontait pas, et le dimanche soir suivant, après avoir couché Lila, Mère s'était effondrée en sanglots et avait prié de toutes ses larmes. Elle priait et elle pleurait en même temps. Peut-être que comme ça, Dieu l'entendrait et aurait plus de pitié.

C'est que P'pa n'avait jamais versé l'eau magique sur lui. Parce qu'il avait compris qu'on voulait se jouer de lui. Parce qu'il est imperméable, P'pa, aux pratiques mystiques, et donc à l'eau bénite. Il ne croit qu'en la nature. Mère m'avait dit que le dimanche matin, en s'aventurant, en descendant voir comment il allait, puisque le seau avait été retrouvé vide et qu'elle espérait que cela lui avait fait de l'effet, elle l'avait trouvé nu, malgré le froid, en train de sortir du trou avec de la terre à pleines mains et dès qu'il l'avait aperçue dans le sous-sol, elle qui ne descendait jamais, il lui avait couru après en la menaçant, en la traitant de sorcière et en lui jetant toutes sortes de morceaux de bois. Et qu'heureusement, il ne l'avait pas suivie en haut, parce qu'elle était seule avec Lila, et que ça aurait pu avoir des conséquences.

Je crois que c'est ce dimanche soir, dans la prière des larmes, qu'elle a pris la décision de changer de stratégie parce que les remèdes traditionnels n'avaient pas eu l'effet escompté, au contraire, P'pa semblait devenu comme fou et enragé. Elle avait donc décidé, malgré elle, de demander de l'aide aux Québécois. Elle s'était donné encore quelques jours de réflexion, puis elle avait composé le 911 et elle avait tout raconté. À l'arrivée des policiers, P'pa ne s'était pas laissé faire, il avait hurlé, leur avait jeté tout ce qui lui passait sous la main, et ils avaient été obligés de se casquer pour l'approcher. Et c'est comme ça qu'ils lui avaient déchargé le *Taser* dans l'épaule, accompagné d'une piqûre dans le bras, qu'ils l'avaient attaché à une chaise et embarqué dans l'ambulance. Parce que là, comme on dit, P'pa avait bel et bien pété sa coche.

Aujourd'hui, je sais que Mère se sent horriblement coupable et impuissante. Mais qu'est-ce que tu aurais pu faire d'autre, Mère ? Tu nous as peut-être sauvé la vie et celle de ton mari. Tu as fait tout ce que tu pouvais et tu as fait quelque chose qui venait de ton cœur, les prières, le sable, l'eau... Il faut continuer à y croire, parce que P'pa disait qu'il n'y a jamais plus fort qu'une chose à laquelle on croit du plus profond de nous.

Tu es forte, Mère, et ta force seulement nous donne le courage.

LES PIEDS SUR TERRE

Un chat, un chat

P'pa est interné à l'Hôpital Louis-Hippolyte Lafontaine. Mère nous dit qu'il est soigné pour dépression majeure et troubles psychotiques du comportement. C'est une famille de maladies mentales qui touche beaucoup de monde, mais jamais de la même manière. Ça fait bientôt une semaine qu'il est interné. Des médecins et des infirmiers s'occupent de lui, le jour comme la nuit. Ils soignent sa folie.

Ici on ne dit pas « fou », ça ne se dit pas pour des gens qui sont internés. Mais moi, je veux dire fou, parce qu'au Sénégal on dit fou, et c'est ça. On appelle un fou un fou, c'est comme appeler un chat. Au Sénégal, c'est simple, si tu es un fou dangereux, on te garde enfermé dans un asile, comme dans une prison, et, avec le temps, tu y meures, sans moyens et sans attention. Si tu es un fou tranquille, ou seulement un dépressif chronique, on te laisse dans la rue. De toute manière, dans les familles, c'est secret, on ne parle pas de tout ce qui touche à la santé mentale, on accepte le sort. Mère dit qu'ici ils ont une belle vie. Quand tu es fou au Sénégal, si tu as une famille qui se sacrifie pour s'occuper de toi, tant mieux. Sinon, tu déambules, tu parles tout seul, tu ramasses à manger par terre, ce que les gens jettent ou te réservent dans des récipients que tu te disputes avec les chats ou les rats, tu dors sur un trottoir ou dans un caniveau, tes cheveux sont comme un gros tas d'algues grasses et pourries, tes ongles poussent noirs et tout croches et tu pues la sardine fumée. Chaque village, chaque quartier a son fou, qui traîne, de rue en rue, de cour en cour, à la recherche de sa raison, peut-être. Souvent, ils se font chahuter par les chiens ou par les enfants qui leur jettent des pierres, les traitent de tous les noms et se moquent de leur folie. Dans mon quartier, je me retourne pour en parler, il y avait une folle, Fatou Kiné, une pauvre femme, toute petite et très maigre, avec des cheveux gris courts. C'est elle qui nous jetait des pierres avant qu'on ait fait quoi que ce soit, elle prenait les devants et on la fuyait dès qu'on la voyait. Je crois qu'elle avait horreur des enfants pour tout ce qu'ils pouvaient lui faire de cruauté. Elle, sa folie, c'était les cigarettes. Elle les ramassait encore fumantes, ou bien elle s'en achetait dès qu'elle avait réussi à soutirer vingt-cinq ou cinquante francs à quelqu'un, et elle fumait, elle fumait, elle fumait. Elle ne faisait que ça, elle marchait dans la rue et parlait toute seule en tirant des bouffées immenses. C'était comme si elle voulait que tout le monde voie qu'elle fume. Parce qu'au Sénégal, une femme ne fume pas en public ni dans la rue. C'est très mal vu, pas accepté. On te traite de moins que rien, de trainée, de vulgaire. Je n'ai jamais vu de femme fumer là-bas, à part Fatou Kiné. Peut-être que d'autres femmes, pas folles, fument en cachette. C'est comme un homme devant son père, jamais un homme ne doit fumer devant son père.

C'est notre première visite familiale et j'aurais bien voulu que Charlotte nous accompagne, elle aurait été notre guide. L'hôpital Lafontaine est immense, avec des couloirs blancs et beiges. On nous fait passer d'une grande salle d'attente à une plus petite. Le docteur qui nous reçoit est une femme brune, plus grande que Mère, habillée tout en blanc avec sa blouse imprimée du logo de l'hôpital, avec son nom en dessous : Dre Françoise Lavergne. Elle est accompagnée d'un assistant infirmier, un homme noir, lui aussi avec une blouse, vert clair, et c'est peut-être un Haïtien. Sur sa blouse d'hôpital, il se nomme J. Jean-Jacques. C'est peut-être Jérôme ou Jules, pour moi, c'est Triple J.

Docteure Françoise nous salue. Pas de sourire entre nous, tout est très froid. Comme l'hôpital.

— Son état est stable, nous dit docteure Françoise. Il ne mange pas toujours comme il faudrait, c'est pourquoi nous le perfusons parfois. Mais je suis confiante. Il ne sera sûrement pas très bavard, mais, en tout cas, inoffensif.

Pourquoi elle dit ça, docteure Françoise ? Ça ne se dit pas à une famille, ça, comme si P'pa était un agresseur, un meurtrier, un fou dangereux... Alors qu'on sait, nous, qu'il est incapable de méchanceté. Si elle dit ça, c'est que ça ne va pas mieux. Il a peut-être fait des choses terribles depuis son arrivée ici, des choses qu'on ne veut pas nous dire. J'ai le trac. On a tous le trac. Ça se lit dans nos yeux, ça s'entend dans nos pas, ça se voit dans notre manière pas naturelle de marcher et d'avancer dans ce long couloir blanchâtre. Il n'y a que Lila qui ne comprend pas tout, même si elle sent les choses, elle aussi. Elle sait juste qu'on va voir P'pa.

Ils nous conduisent à une chambre fermée qu'ils ouvrent avec un passe magnétique. P'pa est là, en pyjama bleu ciel, allongé dans un lit recourbé, la tête appuyée contre un oreiller, et il regarde dehors. Puis il tourne la tête vers la porte quand il entend ou sent que plusieurs personnes entrent dans la chambre. Son visage est amaigri et sa peau est toujours grise. On lui fait un sourire tous ensemble, mais on comprend vite que s'il nous regarde, il ne nous voit pas.

— Alors, monsieur Abdou, on a de la visite ? lance l'infirmier Triple J.

Mais P'pa ne répond pas. Il reste hagard, sans réaction aucune, les yeux absents, la bouche légèrement ouverte. Comme dans un film, on dirait presque un cadavre sorti de la morgue rien que pour nous. Puis, il baisse les yeux vers son drap rayé et reste comme ça, prostré. Bibi et moi, on se regarde et on regarde Mère. Elle-même ne sait pas quoi faire ni où mettre ses yeux. Elle tient Lila dans ses bras et Lila ne semble pas reconnaître P'pa.

Je n'y avais pas fait attention en entrant, je ne l'avais pas vu, mais ce qui me trouble le plus, c'est que P'pa est attaché une fois de plus, il a les bras le long du lit sur des reposoirs, entravés par des lanières brunes, on dirait du cuir, et cette image me renvoie encore à cette maudite chaise. Aussi aux condamnés à la mort électrique aux États-Unis, qui attendent la dernière sentence sur leur fauteuil, sans plus penser à rien. S'ils l'attachent, c'est qu'il est dans le même état que lorsqu'ils sont venus le chercher, c'est qu'il peut être dangereux pour lui ou pour les autres, ou encore qu'il cherche à fuir.

Ils nous proposent de nous asseoir sur les chaises posées à côté du lit. Il y en a deux, alors je reste debout. Bibi s'assoit et Mère aussi, avec Lila sur ses genoux.

— Vous pouvez lui parler, ça lui fera toujours quelque chose d'entendre vos voix, dit docteure Françoise au moment de ressortir de la chambre. Je vous laisse. Vous pouvez passer à mon bureau si vous avez des questions, je peux essayer d'y répondre.

D'entendre nos voix ? Inoffensif ? Mais pourquoi ces mots ? C'est P'pa qui est là devant nous ? Ou c'est son fantôme ?

Triple J reste en retrait, il essaie d'être le plus discret possible. Mère nous regarde sans mot dire et elle semble même ne pas savoir quoi penser. Et on comprend son impuissance. Nous sommes devant l'ombre de P'pa. Et encore. Je connais son ombre, elle a plus de vie, elle est capable de danser et de sourire, elle est pleine d'énergie, son ombre, mais là, c'est le fantôme d'une ombre. Mère me dira que ce sont sûrement les effets des médicaments qu'on lui administre. Il est complètement assommé. Et quand Mère lui parle finalement, pour lui demander si ça va et lui donner des détails de notre vie, comme la maison, la garderie et la victoire de Bibi avec son équipe de hockey, il bouge à peine la tête. Et pas une seule fois nous ne croisons son regard. Une momie, un zombie, un hologramme, tout sauf P'pa. Je me dis que peut-être qu'en lui parlant du Sénégal ou de la France... Mais ça, je le garde pour moi, ça serait le faire se retourner et ce n'est peut-être pas le moment.

— Monsieur Abdou, votre famille est là, dit l'infirmier Triple J. Ils sont venus spécialement pour vous. Vous avez une très belle famille, monsieur Abdou.

On se regarde, la belle famille, on s'interroge. Peut-être que Triple J a plus d'influence. Mais rien. P'pa est un légume. Lila reste cramponnée à Mère. Elle détourne la tête. On dirait qu'elle ne veut pas le voir. Bibi commence même à s'impatienter, je le vois se ronger les ongles et tourner des yeux. Ça fait dix minutes qu'on est là, mais il ne s'est rien passé. C'est très lourd, comme atmosphère, c'est comme une chambre morte, et en plus, voilà que quelqu'un se met à hurler dans le couloir, ce qui fait sursauter Mère.

— C'est Sandoval, nous dit Triple J, c'est son heure, il va s'arrêter dans cinq minutes.

Il y a des bruits sourds comme quelqu'un qui cogne contre un mur. Des cris encore plus stridents. Puis plus rien, le silence revient, Sandoval a dû être piqué avec un calmant.

P'pa, lui, il a retourné la tête vers la fenêtre et le voilà parti, reparti, vers je ne sais pas quelle destination. Son cerveau est en voyage, son esprit est en transit entre deux continents. C'est l'absence. Je crois que Mère ne peut supporter cela plus longtemps et moi non plus d'ailleurs, alors on se lève et on se dirige d'un même pas vers la porte. Triple J nous ouvre et referme derrière nous. Cette visite familiale tant attendue n'a pas duré un quart d'heure, et j'ai le sentiment qu'elle a duré toute une vie, je suis complètement mêlé. Je n'ai pas de pensée qui me traverse ni d'émotion, je ne sais pas, je suis comme absent aussi, vide. J'essaie de m'accrocher aux bruits que font nos pas dans les longs couloirs. D'un coup, je pense à Charlotte, je ne sais pas pourquoi. L'hôpital, peut-être, la deuxième maison de Denise, comme elle dit. Je ne voudrais pas que P'pa fasse d'ici sa nouvelle maison. Et j'ai l'impression que les murs ont changé de couleur depuis tantôt, je ne reconnais pas le chemin. Des gens passent à côté de nous, j'évite de les voir et encore moins de les regarder. Mais je sens leurs regards posés sur nous, et plus que des regards, même, je sens des ondes bizarres, comme pas naturelles. Pour la première fois, je me dis que je suis chez les fous, comme on dit à Dakar.

— Vous voulez passer revoir docteure Lavergne ?
demande Triple J à Mère.

— Pas aujourd'hui, je crois que... C'est difficile,
vous comprenez ?

— Je comprends, madame, je suis désolé.

.

Ce soir-là, je n'arrive pas à m'endormir, trop de pensées qui se mélangent. Vers minuit, je rejoins Mère
dans sa chambre. Elles dorment toutes les deux,
avec Lila, la fille lovée dans la mère. Je me fais une
petite place sur le lit et j'essaie de trouver le sommeil
en regardant par la fenêtre la lune se faire couvrir et
découvrir par les nuages.

Et je prie.

P'pa ? P'pa ? Tu es où ? Dis-moi que ce n'est pas toi
que j'ai vu. Dis-moi que, toi, tu as fait tes trente pompes
ce matin, que tu es debout, les yeux vivants et que tu
marches dans le vent. Dis-moi que tu es allé te promener sur la corniche pour voir le soleil se coucher, dis-moi
que c'est beau, cette boule orange posée sur l'horizon.
Dis-moi que tu es avec tonton Atata, que vous êtes allés
pêcher de la sardine et que vous la mangez grillée au
charbon de bois sur la plage. Dis-moi que c'est bon, le
poisson. Dis-moi que tu es à la boutique, que tu discutes
avec tonton Tino, dis-moi qu'il t'offre une cigarette et
que tu la fumes, même si tu ne fumes que quand tu es

énervé. Dis-moi que tu es énervé. Dis-moi que tu as pris ta moto, ta vieille moto bleue, dis-moi que tu as une crevaison et que tu n'as pas les outils pour démonter ta roue. Dis-moi que tu souffles dans ton pneu pour le regonfler. Dis-moi que tu es dans ton champ, sur ton plus grand manguier, à tenter de cueillir la plus haute mangue, parce que c'est celle-là qui a eu le plus de soleil et sera la plus sucrée. Dis-moi que tu joues aux échecs et que même si tu perds, tu es heureux. Dis-moi que tu as retrouvé ta mémoire, qu'elle était tombée au fond d'un sac noir, un sac sans fond, un fond sans fin auquel tu as mis fin. Dis-le moi en riant, P'pa, en te moquant de toi, dis-le tout haut, tout fort ! Dis-le, que tout le monde t'entende. P'pa ! P'pa... P'pa, dis-moi que tu te retournes aussi un petit peu de temps en temps. P'pa, dis-moi quelque chose.

Je ne sais pas si je retournerai un jour le voir à l'hôpital. Parce que ce n'est pas voir son père, ça. C'est imaginer son père, seulement, rêver de lui et le voir en cauchemar. C'est se faire du mal inutilement. J'attendrai qu'il sorte, j'attendrai qu'il nous reconnaisse, qu'il tende les bras vers Lila, j'attendrai la petite lumière dans ses yeux et le sourire. Mais là, je ne crois pas que j'aurais le courage d'y retourner, ni même d'en reparler à Mère, ou encore à Charlotte. Et je ne peux pas imaginer Mère y aller toute seule non plus, parce que toute seule face au malheur, c'est impossible. Peut-être que Bibi voudra l'accompagner. Peut-être aussi que je me forcerai.

Et si j'en parlais à Charlotte, au fond ? Pourquoi j'aurais honte ? Quand on s'est revus l'autre jour, j'ai fait semblant de rien et elle aussi, je crois, elle ne m'a pas posé de questions non plus, c'est comme si ma douleur l'effrayait, comme si elle seule pouvait endurer la douleur et ne voulait pas la partager. Peut-être qu'elle sait que je ne veux pas en parler, peut-être qu'elle est gênée d'avoir vu ça et de savoir que l'inattendu malheur peut arriver chez tout le monde. Le rêve qu'elle avait de notre famille s'est sûrement écroulé, et je me dis que ce n'est pas très solide, les rêves, qu'il faut en prendre bien soin. Je ne sais pas, mais en tout cas, elle a vu qu'ils emmenaient P'pa. Elle n'est pas dupe. Elle sait, elle, tout ça, ce que c'est d'être seule devant les problèmes. Elle a de l'expérience là-dedans. Peut-être qu'elle pourra me conseiller, me donner des leçons : quoi faire et comment mieux surmonter les difficultés ? Je dois lui parler, essayer de lui expliquer ma version des choses. J'ai comme un très fort besoin de la voir.

— Ce n'est pas grave, Soleil.

— Mais j'aurais dû t'en parler avant. Je... Je n'osais pas.

— Je sais, moi aussi je suis gênée. Je suis gênée pour toi parce que je t'admire, tu sais, et tu ne méritais pas ça. Votre famille ne mérite pas ça. Toi, tu... Euh...

Elle cherche ses mots avec ses yeux, Charlotte.

— Tu mérites le bonheur, Soleil...

On est tout en haut de la butte du parc Pélican. On voit le mont Royal au loin, mais il y a un gros projet de condos en face et bientôt, on ne verra plus la montagne. À moins d'habiter un de ces condos. On parle avec Charlotte et je lui explique que je regrette de lui avoir caché les problèmes de P'pa. Elle ne m'en veut pas, Charlotte, elle comprend quand je lui explique que c'est ce qu'on m'a appris, de ne rien dire, de garder les choses pour soi, en soi, même si ce qu'on m'a appris n'est pas la meilleure chose à faire. Elle dit que maintenant que je vis ici, il va falloir m'adapter. Ici, les choses étranges et pas normales se disent, parce que le silence fait pourrir les problèmes. Un enfant maltraité, ici, on prend le téléphone, on fait le 911 et ses parents vont en prison. Lui-même peut mettre ses parents en prison. Au Sénégal, et pas qu'au Sénégal, un enfant maltraité, il se tait, et sa mère se tait et ses plaies pourrissent et il devient un adulte mauvais ou malade. La honte, les histoires de famille, on les cache. Alors qu'ici, les enfants ont des droits. C'est un pays de droits.

Charlotte me dit que Hippolyte-Lafontaine, c'est un bon hôpital, sa mère l'a fréquenté quelques fois. Elle pense que P'pa ne va pas rester trop longtemps. Que ça dépend de sa maladie, de la profondeur de sa maladie et surtout de comment nous, sa famille, on va faire pour l'entourer, s'occuper de lui et le ramener à la maison. Et que c'est pour ça qu'elle est encore avec sa mère, parce que malgré tout, elle aime sa mère et qu'elle l'entoure et qu'elle lui redonne goût à la vie à chaque fois qu'elle penche vers la mort, parce que le suicide, c'est comme la folie, c'est un peu la même mort, si tu la délaisses, la personne que tu aimes est perdue pour toi. Si elle, Charlotte, n'était pas là, sa mère non plus ne serait pas là, ne serait plus là.

J'ai compris ce que Charlotte m'explique, même si c'est difficile à comprendre. Au Sénégal, on a le même proverbe : c'est que *l'homme est le médicament de l'homme*. Et que si tous les cachets et les piqûres et les sirops qu'on donne à P'pa ne le ramènent pas à la maison, ou à la raison, il n'y a que nous, et peut-être que moi, qui puissions essayer de le faire. Alors je sais qu'un grand travail m'attend, je sais que ça ne sera pas facile, parce que la dernière fois, à l'hôpital, à voir P'pa absent, attaché sur son lit électrique de condamné à la folie, j'ai comme frôlé un cauchemar, et je crois qu'avec la course derrière l'ambulance, c'est l'expérience que j'ai le plus détestée de ma vie. Mais je vais la revivre, cette expérience, parce que je vais retourner voir P'pa à l'hôpital, avec Mère, et même seul, s'il le faut. Je me forcerai. Parce qu'on n'a qu'un seul père sur terre et Charlotte, elle n'a même pas le sien avec elle.

Charlotte, d'un coup, me prend la main et je me sens tout bizarre parce que je ne sais pas quoi faire avec cette main dans la mienne.

— Moi, je ne crois pas au bonheur, même si il existe, me dit Charlotte. C'est comme croire en Dieu. Dieu existe pour certains et pas pour d'autres.

— Moi, je crois en Dieu... Enfin, je crois que je crois. C'est plus facile de croire que de ne pas croire.

— C'est pour ça que je dis que tu mérites le bonheur. Parce que tu y crois.

— Mais toi aussi, Charlotte, tu le mérites. Tu y crois, non ?

Elle reste pensive, quelques instants, sans rien dire.

— Laisse faire ! J'ai plus envie de penser... Viens, on va s'acheter une sloche, il me reste deux piastres.

.

Charlotte fuit tout le temps. Son esprit s'enfuit. Dès qu'elle sent les émotions qui lui montent dessus, elle cherche à s'en débarrasser. Et j'ai toujours cette main dans ma main. La main de Charlotte. J'ai peur de la lâcher comme j'ai peur de la garder. Je ne veux pas fuir, moi, mais je ne sais pas c'est quoi, ce que je ressens, c'est à la fois comme un soleil chaud et un nuage froid, un grand vent dans le cou et un sac de pierres accroché sur le dos, et j'ai l'impression de couler et de ne plus avoir de corps. Je compte jusqu'à trois et je lui lâche la main pour fouiller dans mes poches.

On avale la sloche l'un en face de l'autre, avec deux pailles, et ensuite on se décide à aller chercher le cadeau de l'oncle Henri pour son anniversaire. On ne sait pas quoi lui offrir. Un poisson ? Mais un poisson, c'est risqué, parce qu'il nous a toujours dit qu'il y a des poissons qui ne peuvent pas vivre ensemble et se bagarrent sans cesse jusqu'à la mort ; et nous, on n'y connaît rien, aux poissons, et on ne veut pas provoquer de faits divers dans son aquarium, parce que les faits divers, ça commence toujours par des meurtres, et dans un aquarium, sans véritable détective, on ne sait jamais quel poisson est l'assassin de l'autre. Alors finalement, on décide de lui acheter un livre sur les poissons. Un livre, c'est toujours quelque chose. Et puis ça ne tue pas son prochain. Au Colisée de l'avenue Mont-Royal, où il y a tous les livres sur tous les sujets, on trouve un livre sur les poissons de la mer des Caraïbes. On se questionne avec Charlotte, parce que ça ne lui servira à rien, la mer des Caraïbes. Et puis c'est de l'eau salée. Mais Charlotte est têtue et elle continue à chercher, alors je me mets dans un coin avec quelques mangas Yugiyoh et j'attends, je vais laisser Charlotte choisir, parce qu'elle connaît mieux Henri que moi, et à part les hommes et les poissons, je ne sais pas ce qu'il aime.

Finalement, Charlotte trouve un livre sur Jacqueline Kennedy. C'est un petit livre carré, blanc, rose et gris, où c'est écrit Jackie comme ça pourrait être écrit Charlotte.

— C'est qui, Jackie ?

— Bah c'est elle ! Elle est belle, non ?

— Oui, enfin... Mais pourquoi ce livre ?

— Je ne sais pas... Mais elle est ben belle, regarde !

Et elle ouvre ce petit livre et feuillette les pages qui ne sont que des pages de photos, en noir et blanc ou décolorées pour la plupart. On dirait qu'elle est complètement allumée par le livre.

— Écoute ça... *Belle, brillante, cultivée, Jacqueline Bouvier Kennedy Onassis a connu un destin unique, aux prises avec une vie aux allures de tragédie grecque. Mystérieuse et flamboyante, voici racontée en 199 photos (dont certaines inédites) l'histoire exceptionnelle de l'une des femmes les plus adulées d'Amérique.* Ça a l'air bon, non ?

— Bah, oui... Et tu crois qu'il va aimer, ton oncle ?

— C'est sûr !

Je ne dis rien, et d'ailleurs le livre est à 6,99 $ plus les taxes, ça nous fait quatre dollars chacun, et je vais pouvoir m'acheter un Yugiyoh... Mais je suis sûr qu'elle achète ce livre pour elle, pour pouvoir le lire quand elle va voir Henri. Jacqueline Kennedy ? Il faudra que je regarde sur Internet.

En rentrant, on passe par le parc Pélican et on s'arrête sur un banc, parce que ça la démange, elle a envie de feuilleter ce livre, et de rêver, photo après photo. Je lis mon manga, en jetant un œil de temps en temps sur le livre de Henri. En plein milieu, Charlotte s'arrête sur une photo en noir et blanc où on voit Jacqueline Kennedy derrière un voile noir de deuil, parce qu'elle a perdu quelqu'un de cher, sûrement.

— Elle me fait penser à ma mère, je trouve qu'elle lui ressemble. Regarde son regard.

Et là, Charlotte, elle me fixe si longtemps que je me sens gêné.

— Tu sais, avant, j'avais de la misère à regarder quelqu'un dans les yeux... Les gens, j'avais l'impression qu'ils focussaient sur mes yeux...

— Ah bon ?

— Bah ouais ! Un jour, dans la cour de l'école, un garçon m'a dit tout haut : « Hou hou, tu me regardes quand je te parle ? » Et là, ils m'ont tous ri dessus... Alors je te dis, j'avais juste le goût de me cacher sous la terre et de pleurer.

— Pourquoi ?

— J'avais honte. Veux, veux pas, ça me pourrit la vie, ces yeux... Et toi... Tu me regardes en face, et tu dis rien. T'as jamais rien dit sur mon regard. C'est comme si c'était rien, avec toi.

— Bah oui ! C'est rien !

— T'es le seul qui arrive à me regarder dans les yeux. Et ça, ça me donne du courage. Maintenant, j'essaie de regarder les gens, je veux plus baisser la tête, tu vois ?

Je l'écoute attentivement parce que je sais que là, c'est sensible, c'est une vraie question pour elle, et que c'est la première fois qu'elle me parle de ses yeux.

— Tu supportes mes yeux. Et quand j'essaie, moi, de regarder les gens, tout le monde détourne son regard. T'as pas vu le gars de la caisse du Colisée ? Personne me regarde jamais dans les yeux. Droit dans les yeux, comme toi.

— Ah ! Bah y'a quoi ? Ils tuent pas, tes yeux ! Je comprends pas.

— C'est la gêne devant mon strabisme, les gens, c'est comme ça... Toi, t'es pas gêné, c'est tout.

— Tu veux que j'arrête de te regarder ?

Elle ne me répond pas, elle me fixe, comme à notre première rencontre à la caisse du Maxi. Charlotte, ses yeux sont comme une bouche, ils parlent. Parce que tous les climats, toutes les pluies et toutes les tempêtes sont passés sur elle. Ses yeux disent des choses sur sa vie, c'est une lumière aussi forte que des éclairs les soirs où il y a du tonnerre. Et quand elle me regarde, seulement, je vois son strabisme qui me souffle une rafale d'émotions, comme le vent froid du mois de février, et ça, c'est du jamais vu, du jamais ressenti. Je voudrais lui faire cette poésie qui m'a traversé l'esprit, mais je ne lui fais pas, parce que moi, je ne suis pas très fort pour faire parler les émotions.

Elle me regarde comme pour me dire « non, tu es le seul à me regarder dans les yeux, alors continue ». Puis elle me fait un grand sourire, et là, je baisse la tête vers mon manga. En continuant de feuilleter la vie de Jacqueline Kennedy comme elle le fait, je vois bien qu'elle est transportée dans le rêve.

Et ç'est vrai qu'ici, c'est rare qu'on se regarde dans les yeux quand on ne se connaît pas. Et pourtant, les yeux aiment voir qu'on les voit, les yeux aiment quand d'autres yeux se posent sur eux. Ce n'est pas du temps perdu, les regards. C'est du temps gagné dans la connaissance des gens. C'est P'pa qui disait ça.

— Toi, ton père, au moins, il est pas hypocondriaque. Ma mère, elle l'est, ça fait partie de sa collection de petites maladies.

C'est Charlotte qui m'apprend ce mot, c'est comme « strabisme ». Et c'est un mot que je mets plus de temps à prononcer qu'à comprendre. C'est quand quelqu'un se croit toujours malade ou s'invente des maladies. Hypocondriaque. On dirait un nom d'animal de contes fantastiques. Et c'est ce qui fait aussi qu'elle se bourre toujours de médicaments, sa mère. Comme elle est BS, qu'elle est très alcoolique et qu'elle est connue des services, dès qu'elle appelle l'ambulance, ça sonne juste, ça ressemble toujours à une urgence et ils viennent.

Puis Charlotte parle de ça, de sa mère et de ses problèmes, comme si elle me parlait de choses normales, et je crois que ce sont des choses normales pour elle, parce qu'elle a toujours vécu ça avec sa mère. C'est Denise tous les jours. C'est une maladie ordinaire pour elle. Charlotte prend son déjeuner tous les matins avec elle, et le soir, c'est cette même maladie qui ne vient pas la border, qui lui dit peut-être bonne nuit de loin comme elle lui dirait d'allumer la télé, avant de se noyer dans sa bouteille.

.

La première fois que j'ai parlé à Denise, c'était en janvier. Depuis, je ne lui ai plus jamais parlé. Et ça aussi, je ne l'ai jamais dit à Charlotte, parce que c'est un peu honteux, comme rencontre, et qu'on peut facilement avoir honte de ses parents. Et pourtant, Charlotte est au courant de cette histoire, parce que sa mère la lui a racontée, et que Charlotte aussi me l'a racontée, finalement, car depuis le temps, elle a fini d'avoir honte de sa mère. Denise lui a peut-être dit que c'était un petit Noir qui l'avait aidée, mais moi, je ne lui ai pas dit que c'était moi, ce Noir dont sa mère parlait.

Il neigeait et je marchais vers le dépanneur. Mère m'avait envoyé chercher du lait pour son *thiakry*, ses céréales du soir, son habitude sénégalaise. C'était une neige étrange qui faisait comme des boules de polystyrène et ça me rappelait Dakar, où on trouve plein de polystyrène dans les rues et sur les plages, et les enfants le grattent et l'éparpillent partout, ça leur fait aussi comme une neige mais c'est très polluant, et P'pa m'interdisait de faire ça avec mes amis. J'allais donc au dépanneur et avant d'arriver sur la rue Masson, j'ai vu une personne assise dans la neige, comme si elle était tombée, une petite personne, je ne savais pas si c'était un homme ou une femme, parce qu'elle avait le visage caché par sa capuche à fourrure. Elle était assise par terre avec son sac à main noir, et j'ai su que c'était une femme parce que c'était un sac à main de femme. Il n'y avait personne dans la rue et j'ai trouvé cette scène pitoyable, surtout quand je l'ai vue sortir de son sac une grosse bouteille de vin jaune, je crois que c'était du vin, mais la bouteille était immense et pas entamée du tout. Alors quand elle a vu que quelqu'un approchait, c'était moi, elle a remis la bouteille dans son sac et n'a pas levé la tête.

Au moment de passer devant elle, j'ai reconnu Denise, la mère de Charlotte. J'ai avancé de quelques pas et je me suis mis de côté, derrière un escalier qui me semblait une bonne cachette et je l'ai observée. Elle avait de nouveau sorti la bouteille et cette fois, elle l'avait mise à sa bouche et elle buvait sous la neige, comme quelqu'un de très assoiffé. Elle a bu une grande gorgée, puis une deuxième. Et elle a soufflé bizarrement. Comme un râle. Parce que ça semblait lui faire du bien et du mal en même temps, ce qu'elle venait de boire. Et elle a rangé sa bouteille. Elle a fouillé dans son sac, elle a sorti une paire de mitaines en cuir rouge, qui semblaient trop petites pour elle et elle les a enfilées. Puis elle s'est recouverte avec sa capuche, elle a rentré sa tête dans ses bras et elle est restée là, assise, dans le banc de neige, sous la neige qui tombait. C'était triste et ce n'était pas normal qu'une personne reste assise comme ça sur un trottoir dans le froid. Et comme personne ne s'en venait, je suis retourné vers elle. Je voulais l'aider, lui demander si ça allait et j'espérais qu'elle allait me reconnaître, le voisin d'en face, j'espérais qu'elle m'avait déjà aperçu. Quand elle a vu mes bottes devant elle, elle a levé la tête, mais elle n'avait pas l'air en forme. Avant même que j'ouvre la bouche, elle m'a dit, avec une voix rauque qui n'allait pas avec son corps :

— Me regarde pas comme ça, aide-moi donc à me relever.

Je lui ai tendu la main et elle a tiré dessus. Moi aussi j'ai tiré fort et ça m'a surpris, elle est venue toute seule. Elle était toute légère, comme une plume, et je crois même que Bibi est plus lourd. Elle était si maigrichonne qu'au Sénégal, on aurait dit qu'elle est « fil de fer habillé ». En se levant, sa bouteille de vin a glissé de son sac, heureusement dans la neige, et ne s'est pas cassée, mais elle, Denise, elle a eu comme une très grande angoisse, et ses yeux ont crié d'effroi et sa bouche s'est tordue. Et avec la manière dont elle a dit « Taaaa-baaaaarrrnak! », avec un visage horrifié, de peur pour sa bouteille, là, j'ai compris qu'elle était vraiment chaude (ici, ça veut aussi dire qu'elle est soûle) et que sa bouteille, c'était son bébé. Elle m'a tenu par le bras, mais son corps bougeait tout seul comme un arbuste frêle secoué par le vent, et je me suis dit qu'elle allait retomber aussitôt. Mais non, elle m'a lâché et elle est restée toute raide, elle avait retrouvé la station debout.

— C'est correct, madame ? lui ai-je demandé.

C'est là que j'ai su qu'elle ne m'avait pas reconnu, peut-être aussi qu'elle ne m'avait jamais vu, parce qu'elle m'a fixé pendant un moment en fronçant le regard et elle a dit en levant le doigt :

— J'ai toujours dit... Faut pas généraliser.

Je m'en rappelle très bien, elle avait les yeux qui ne tenaient pas debout, qui flottaient dans leurs orbites, mais pas en strabisme comme Charlotte, et elle a ajouté :

— C'est pas tous les Haïtiens... Tu vois, toi, t'es un bon p'tit gars.

Bien sûr, je n'ai rien dit. Ici quand on est noir, on est haïtien. Et elle, c'est normal, elle ne pouvait pas savoir qui j'étais. J'étais un garçon noir, simplement. Alors je l'ai laissée avancer parce que j'allais au dépanneur et Mère m'attendait pour son lait. Et elle, Denise, elle marchait à petits pas flottants, en parlant toute seule. Elle a continué son chemin en tenant très fermement le goulot de sa bouteille de vin à travers son sac noir. C'est comme ça que j'ai vu Denise de près pour la première fois. Et à bien y repenser, avec les photos de Jacqueline Kennedy sous les yeux, c'est vrai qu'il y a comme un air de ressemblance. En tout cas, depuis cette rencontre, quand je vais pour la croiser au loin, Denise, je fais un détour ou je traverse la rue. Je ne veux pas qu'elle me reconnaisse.

Alors c'est sûr, Charlotte avec sa mère, et moi avec P'pa, on a quelques difficultés de famille, mais moi, j'essaie de garder ma langue et de ne pas trop parler des problèmes, parce que la bouche fait gonfler les problèmes. C'est Mère qui dit ça. Elle dit qu'il ne faut ni parler des problèmes ni parler des bonnes choses qui t'arrivent, parce que la langue est un poison, et que si par exemple on dit trop souvent qu'un enfant est beau ou intelligent, et bien ça lui porte malchance et il peut y avoir quelque chose qui change le cours de son destin, et alors il devient laid ou handicapé ou bien il devient fou ou ne réussit rien. C'est pour ça aussi que dehors, on ne parle pas des choses qui se passent dedans et que, Charlotte, je ne lui ai pas tout dit pour P'pa.

.

On est toujours dans le parc Pélican, en attendant d'aller remettre son cadeau à Henri. Pendant que je suis absorbé dans mon Yugiyoh, Charlotte est très concentrée sur le livre de Jackie Kennedy, elle a mis ses écouteurs et elle a des larmes aux yeux. Je la regarde un instant, je ne comprends pas pourquoi elle pleure. Peut-être qu'elle aime tellement Jackie, peut-être qu'elle pense à sa mère en voyant Jackie, peut-être que plein d'autres raisons aussi. Mais en fait, c'est la musique. C'est madame Papillon encore une fois. Elle tourne les pages du livre en écoutant madame Papillon et ça lui met les abeilles au bourdon. D'un coup, elle essuie ses larmes et me regarde avec un sourire mouillé. Puis elle enlève ses écouteurs et me les tend :

— Tiens !

Mais moi, je n'ai pas vraiment envie de verser des larmes. Ce n'est pas un bon moment. Mais elle insiste.

— Écoute, je te dis, et regarde le livre en même temps. Il faut faire les deux. Tu vas voir l'effet.

Elle me rentre les écouteurs dans les oreilles.

— Attends, je remets au début... Vas-y !

Et là, alors que la musique commence à couler dans mes oreilles, je ne sais plus quoi faire d'autre que regarder Charlotte et ses yeux noirs tout croches, et je regarde le livre parce qu'elle me fait signe du doigt de regarder les photos, mais chaque photo que je vois, c'est Charlotte que je vois. Et finalement, je ferme le livre parce que ce n'est pas Jackie que je veux voir, mais Charlotte. Alors on se regarde tous les deux. Elle essaie de me fixer droit dans les yeux, même si c'est difficile pour elle, et pour moi aussi parce que je ne sais pas trop à quel œil me fier. Et avec la musique, ça me fait tout un drôle d'effet. Avant madame Papillon, jamais je n'avais entendu ce type de musique comme ça d'aussi près, parce que moi, je ne fréquente pas les églises, et que cette musique est une musique d'église, je crois, enfin je ne sais pas, mais j'ai dû entendre ça dans des films. Et là, la musique de madame Papillon commence à me rentrer dans le dos et dans les os, et je ne peux pas expliquer l'effet que ça me fait, car c'est nouveau, mais j'ai envie que ce moment ne s'arrête pas, parce que c'est très doux, comme sensation. J'ai l'impression de ne plus être dans la réalité, mais dans un écran de télévision et que normalement, on devrait s'embrasser. Mais ça, je n'y pense pas, parce que j'aurais trop peur de me faire voir. Finalement, je lui rends ses écouteurs parce que je ne sais pas où ça va nous mener, cette musique. Charlotte me fait un autre sourire et moi, je me sens juste tout gêné.

On se lève enfin du banc, la journée avance et Henri doit être rentré chez lui maintenant. Mais là, quand on arrive chez Henri, la porte, qui normalement est ouverte, est fermée et quand on sonne, personne ne nous ouvre. Pourtant, Charlotte est sûre qu'il est là, ou bien qu'il n'est pas loin. Alors on attend, on s'assoit côte à côte, le dos contre la porte. Je me mets à feuilleter le livre de Jackie et là, j'y vois vraiment Jackie. Il faut croire que la musique avait transformé les photos de Jackie en photos de Charlotte. Et les photos sont belles quand même, souvent en noir et blanc, et on sent que cette vie qu'elle a eue, Jackie, c'est comme du cinéma, une grande fresque de théâtre, quelque chose que tout le monde ne vit pas tous les jours. Ce n'est pas comme une vie de star, qui s'allume et qui s'éteint, c'est plutôt comme la vie mystérieuse d'un ange, radieuse et infinie.

Charlotte touche mes cheveux pendant que je lis.

— J'adore tes cheveux, ça rebondit.

C'est vrai que j'ai les cheveux un peu longs, mais comme je suis noir, ils font une bonne épaisseur de moquette, et tout le monde aime toujours me toucher les cheveux pour voir comment ça fait. À l'école, des filles ou des garçons de première année viennent parfois me voir pour me demander : « Je peux toucher tes cheveux ? » Une fois, deux fois, trois fois. Je suis comme un toutou pour eux. Maintenant, je garde toujours ma tuque dans la cour parce qu'à la fin, c'est pénible. Donc Charlotte touche mes cheveux, et je ne dis rien, j'essaie de rester concentré sur Jackie, c'est que j'ai toujours aimé qu'on me gratte la tête, derrière la tête, comme à un perroquet. Mais là, je me sens encore gêné. Parce qu'on n'est pas chum et blonde quand même, on ne fait rien entre nous, et je ne voudrais pas qu'Henri nous voie et qu'il pense ça. Henri, je ne crois pas qu'il a un fiancé, je n'ai jamais vu personne ici, et Charlotte m'a toujours dit qu'il vivait seul. Il avait eu un chum, mais il est mort d'une maladie et depuis, il n'y a plus personne dans sa vie. Seulement des poissons et Charlotte de temps en temps.

On a le dos contre la porte et on entend que ça bouge à l'intérieur de l'appartement. Charlotte, elle ressort et va cogner à la fenêtre du sous-sol qui donne sur la rue.

— C'est bon, il m'a vue, je sais pas ce qu'il a, mais ç'a pas l'air d'aller.

Henri nous ouvre la porte : il a les yeux rouges et gonflés comme s'il avait une allergie ou qu'il avait pleuré toutes les larmes du Saint-Laurent. C'est sûr qu'il y a un drame, parce que cette fois, il s'assoit sur son fauteuil et se remet à pleurer. Charlotte, qui ne comprend pas, lui demande, le prend par ses épaules et, là, l'oncle Henri, il ne fait que tendre le bras et pointer du doigt son aquarium. Et son aquarium, c'est devenu un cimetière liquide, parce que tous les poissons sont morts, retournés, la plupart gonflés, flottant à la surface, d'autres, les yeux exhorbités, étalés sur le sable du fond, entre les algues et les rochers. Pas un seul survivant, pas même une petite goutte de vie. « Une hécatombe », dit l'oncle Henri, désespéré, parce qu'il avait fini par s'y attacher, à ses poissons domestiques, comme d'autres à leur chien. Et il n'y avait rien à comprendre, parce que quand une bactérie infeste l'eau de l'aquarium, tout va très vite, et cette bactérie-là, c'est comme une grippe aviaire inconnue, elle balaie tout, sans pitié. Et l'oncle

Henri dit qu'il va emmener ses poissons chez un vété-rinaire pour faire faire une autopsie et contrôler tout ça, et qu'il convoquera le service des eaux de Montréal pour faire vérifier la qualité, parce que ça fait seulement deux jours qu'il a changé l'eau de l'aquarium et qu'il en a profité pour tout nettoyer. Il se pourrait que ce soit lié au changement d'eau. Pourtant, ce n'est pas la première fois qu'il le fait, et il est plutôt expert en la matière.

Charlotte reste un moment à le serrer dans ses bras parce qu'il est sensible, Henri, et elle lui chuchote qu'il y a au moins la maternité qui semble ne pas avoir été touchée, avec une grosse mère poisson dedans prête à lâcher ses œufs, et que ça, oui, c'est le grand espoir de l'oncle Henri. Mais Henri pleure encore, car dans son grand aquarium, il y avait Richard, un *betta splendens* mauve qui flotte maintenant avec le ventre gon-flé, et Richard, c'était le nom de son ancien fiancé. Ça l'envoie en nostalgie, ça lui rappelle des souvenirs par milliers, des moments heureux et c'est pour ça en plus qu'il est triste. C'est pauvre, j'ai envie de dire, mais je dis « c'est triste ». Et il dit que c'est un comble parce que ça arrive le jour de sa fête. Et que c'est le plus mau-vais cadeau qu'il a eu.

On se regarde avec Charlotte parce qu'avec notre cadeau de Jackie Kennedy, on est un peu comme des cheveux sur la soupe, et heureusement encore qu'on ne lui a pas pris un livre sur les poissons, ça aurait été comme un couteau dans la plaie. Ou un pansement peut-être. Enfin, on se questionne et finalement, Charlotte lui tend le livre et lui fait un sourire légendaire.

— Tiens alors, nous on est venus spécialement pour ta fête. Et on t'a pogné ce livre comme cadeau... Joyeuse fête, Henri !

Et moi aussi je dis joyeuse fête à Henri, alors il sèche ses dernières larmes, feuillette le livre de Jackie, serre très fort Charlotte et fait enfin un sourire. Puis il va dans sa cuisine et nous ramène un paquet de biscuits Décadent et du jus de pomme Oasis. Et on fête sa fête en l'aidant avec une épuisette à vider tous les cadavres de l'aquarium. Il les met un à un dans un contenant Ziploc qu'il ferme bien comme si c'était un lunch et les range ensuite au frigo, « en attendant le verdict du vétérinaire », qu'il précise.

Mère a acheté des goyaves chez le fruitier hindou pour nous faire plaisir. Elles sont posées sur la table et comme il y en a une pour chacun de nous, le compte est vite fait. J'ai bien envie de manger la mienne, mais j'ai aussi bien envie d'en faire goûter une à Charlotte, alors je négocie avec Bibi. Sa goyave contre deux jours de vaisselle. D'habitude, c'est chacun son tour, la vaisselle du petit déjeuner, mais là, contre une goyave, Bibi me laisse son travail. C'est que c'est tellement bon, la goyave, son odeur est comme un rêve de fruit, sa chair est comme le fruit d'un rêve, et je voudrais que Charlotte y goûte, car elle n'en connaît que le jus, mais quand c'est frais et qu'on croque dedans, ce n'est vraiment pas pareil. Mais Mère dit qu'on est souvent déçu par les fruits exotiques qu'on trouve ici, qu'ils ne sont jamais très bons, fades et sans saveur et qu'un fruit, pour être sûr de lui, il faut le manger dans le pays où il pousse. Je ne crois pas qu'on trouve des bleuets ou des cerises au Sénégal, et si on en trouve, je ne leur ferais pas confiance avec tout le voyage. P'pa aurait sûrement dit que pour celui qui quitte son pays, laisser des souvenirs derrière lui, c'est aussi laisser des goûts et des odeurs.

Quand on vient en immigrant ici, souvent, c'est un nouveau départ, l'installation et les mois d'attente mangent toutes nos économies et quand on trouve enfin un travail, on est tout sec, ratatiné, et on repart de zéro. Mais souvent aussi, des années après, on est encore à zéro ! Mère dit qu'ici, il faut faire ses propres affaires, monter sa propre entreprise et en être le patron. Parce que tout ce que tu gagnes ici quand tu es migrant et que tu es salarié pour une société, c'est pour payer tes factures à la fin du mois. Tu gagnes, tu paies, tu recommences, tu gagnes, tu paies, tu recommences. Chaque mois, tu te retrouves à zéro. C'est comme sur un tapis d'exercice dans une salle de gym, tu paies pour marcher pendant que le tapis se déroule dans l'autre sens. Tu ne peux pas faire d'économies, ni de projets, ni envisager des vacances dans ton pays d'origine, tu te sens prisonnier de la nouvelle vie que tu avais en rêve. Et petit à petit, tu te demandes si tu rêves encore de ce rêve.

Après un an, de stage en stage, Mère vient de gagner sa permanence au travail. C'est une bonne nouvelle, elle vient de l'apprendre, on est vendredi et c'est un jour fort, comme tous les vendredis. Les Jardins Suspendus l'ont prise en tant que responsable d'équipe horticole. Elle va gagner un peu plus, mais aussi, elle va travailler plus. C'est comme une récompense, parce qu'avec P'pa à l'hôpital, ça la rassure vraiment. Même si P'pa ne nous coûte rien, parce qu'ici, avec la carte soleil, on s'occupe de toi jusqu'au bout quand tu es malade. Même par temps de neige, il y a la carte soleil. C'est le soleil sur un visage en larmes, il faut reconnaître que c'est une belle générosité du pays. Les Québécois se plaignent souvent de leur hôpital et du système de santé, mais ils ne savent pas. Ils ne savent pas comment sont traités les fous, les malades mentaux ou les dépressifs profonds dans d'autres pays.

Mère vient d'avoir sa permanence et en plus des goyaves, elle nous a ramené une pizza de seize pouces pour fêter ça et une poutine pour Bibi parce que lui, il pourrait vendre le monde entier pour une petite poutine et peut-être l'univers pour une grosse poutine. Et tout le monde est content. Le bonheur à la maison vient avec des repas québécois comme ça, des ambiances légères accompagnées d'une bouteille de Canada Dry, parce que Mère adore ça, le Canada Dry, et elle y ajoute même du jus de gingembre pur. Le gingembre, au Sénégal, on appelle ça aussi Ginger et on le boit en jus dans des petits sachets en plastique vendus dans la rue par des filles de familles pauvres qui en font leur travail malgré elles, comme un travail forcé.

Et Mère, ce soir, elle a invité Marie, qui est sa collègue de travail, une Québécoise qui habite à Contre-cœur, une ville sur la Rive-Sud de Montréal. Alors quand on lui demande « tu vis où ? » et qu'elle dit « je vis à Contrecœur », ça fait un peu désespéré comme réponse. Mais Marie, elle est tout sauf une désespérée. D'abord, elle nous a offert, à Bibi et à moi, un lecteur MP3. C'est mon premier lecteur MP3 et elle ne sait pas, Marie, combien ça peut me faire plaisir. Bibi me prend à part et me dit que ce n'est pas un Ipod, mais une copie d'Ipod. Alors on est un peu déçus parce qu'on voulait bien un Ipod comme toute la classe et les petits Québécois, avec une pomme dessus. Mais ça doit être cher, et on est deux, et c'est un cadeau gentil qu'elle nous fait, on ne peut pas demander la lune quand même, ou la pomme. Je suis vraiment fier d'avoir ce lecteur MP3 et ce que je sais, c'est que je vais demander à Charlotte de m'installer dessus le morceau de madame Papillon, parce que je l'aime trop, cette musique, elle me fait voir Charlotte à chaque note, et sa beauté d'église me rend triste, mais c'est une tristesse joyeuse.

Aussi, pour Lila, Marie a ramené une croustade aux pommes comme dessert et ça, je crois que Lila aime beaucoup, car elle en veut une deuxième part. Marie est une femme vraiment gentille, très douce, qui est attachée à Mère et l'encourage beaucoup. Elle est divorcée, parce qu'ici les femmes pratiquent autant le mariage que le divorce et ce n'est pas une honte de divorcer, pas comme au Sénégal. Au contraire, ici, c'est montrer qu'on assume et qu'on est libre. Marie explique que certaines Québécoises sont des « Germaine », parce qu'elles *gèrent* et elles *mènent*. Et que le mari d'une Germaine est un Gérard, parce que « j'ai rarement pris une décision ».

Les femmes d'ici sont très fortes, elles n'aiment pas être dépendantes des hommes et ça, oui vraiment, c'est un aspect qui plaît à Mère. Je ne parle pas de la femme cow-boy à l'avalanche rouge qui nous avait loué l'appartement de Villeray, parce que des femmes caves, ça existe aussi. Non, je parle des femmes québécoises vaillantes, qui respectent les autres mais se tiennent droites et élèvent leurs enfants comme elles peuvent, avec ou sans homme. Et c'est pour ça que Marie admire Mère, parce qu'elle sait ce qu'elle endure ici, elle imagine ce que c'est d'être une migrante, et elle sait que dans le pays d'origine de Mère, être une femme qui s'affirme, ce n'est pas toujours simple, car ce sont les hommes qui ont le dernier mot, ce sont eux qui décident et prennent la parole, en public en tout cas, et les femmes dépendent trop souvent des hommes côté argent. Pour le cas de Mère, c'était un cas à part, déjà presque exceptionnel. C'est elle, la requérante, celle qui avait fait venir la famille au Québec, grâce aux points que lui avait donnés son métier dans le dossier de migration, c'était elle qui avait trouvé un travail en premier et c'est maintenant sur elle que repose la survie de la famille. C'est très important pour elle, et en les entendant parler, elle et Marie, je me dis que c'est peut-être ça, aussi, qui a causé des troubles à P'pa. Mais est-ce que P'pa est comme un vrai homme sénégalais ? Est-ce que P'pa est ce genre d'homme qui souffre de voir que sa femme s'en sort mieux que lui ? Est-ce que

P'pa se sentait humilié ? Je n'ai pas la réponse, mais j'ai la question en tête.

Marie s'entend très bien avec Mère et c'est réciproque, et je trouve que ça fait beaucoup de bien à Mère de parler de ses problèmes, de sa vie, de ses peurs et de toutes les émotions qu'elle a accumulées depuis notre arrivée. Et Marie lui donne beaucoup de clés pour comprendre la vie d'ici et les gens, et l'histoire du Québec et comment les femmes ont joué un grand rôle, et le nom de femmes québécoises célèbres comme Léa Roback ou Madeleine Parent. Et Marie fait aussi beaucoup d'éloges à Mère sur ses enfants, sur leur éducation en disant qu'ils sont très polis et respectueux, qu'ils ne sont pas des petits tannants impolis comme il y en a parfois ici. Et c'est de nous qu'elle parle, bien sûr, et ça, je sais que ça fait très plaisir à Mère. Comme à nous d'ailleurs. Parce qu'on nous a toujours appris le respect et on l'applique ici avec tout le monde. Mère dit toujours : « Respecte si tu veux être respecté. » Et surtout, il est important de respecter les adultes et ceux qui sont plus vieux que toi. Car un jour, tu deviendras adulte à ton tour. Au Sénégal, c'est une loi qui touche tout le monde, la loi de l'aîné : si un grand (et quand je dis « grand », ça veut dire « plus âgé », qui a peut-être juste quatre ou cinq ans de plus que toi) te demande d'aller lui chercher quelque chose, faire une course pour lui, une tâche quelconque, du moment qu'elle n'est pas dangereuse ou criminelle, tu le fais sans répliquer, même si tu ne le connais pas, ce grand. C'est la règle. Et tu peux toujours exiger la même chose d'un plus petit que toi. Et comme on est toujours le grand et le petit de quelqu'un, ça équilibre le monde. Quant aux vieux, on les appelle « les doyens ». Eux, ils sont la mémoire de l'Afrique, le disque dur des traditions, ils ont le respect de l'ensemble de la société. C'est la récompense de toute une vie d'être écouté et respecté par tous. Je trouve que c'est une bonne règle, la loi des aînés, elle est juste et elle s'applique à chacun son tour. Des fois, Bibi abuse et en profite avec moi, mais je ne me laisse pas faire.

Marie propose à Mère de nous inviter à son chalet familial dans la Petite-Nation pour la longue fin de semaine des patriotes. Mère nous regarde et on sent dans nos yeux comme une grosse envie de dire « oui ça serait génial le fun », et de dire « trop cool merci ! » mais comme on retient nos émotions, alors on dit seulement « d'accord ». Mais nos cœurs se défoulent, je le sais, parce qu'on n'est jamais sortis de Montréal depuis plus d'un an qu'on est ici, on n'a jamais été plus loin que Longueuil, où Mère connaît une famille sénégalaise, et alors, aller dans la Petite-Nation, c'est comme un nouveau voyage, explorer un nouveau pays et découvrir peut-être le vrai Québec. Ce soir-là, la vie continue joyeusement. Mère et Marie discutent autour d'une tisane, puis se lancent dans une partie de Scrabble. Nous, tout légers de bonheur malgré la poutine et la pizza, on s'endort au chaud avant que la partie soit finie.

C'est une Subaru Forester. Nous sommes tous les quatre avec Marie dans sa voiture blanche, il fait une météo sénégalaise avec un soleil jaune et un ciel bleu comme au début de l'univers, et des fleurs dans les champs comme au début du printemps. À la demande de Marie, Mère a amené un CD de musique Mbalakh, notre musique typique du Sénégal. C'est Titi qui chante et il y a comme quelque chose qui cloche, un décalage, une trop grosse différence entre la musique et le paysage. Je n'avais jamais eu cette chance d'entendre du Mbalakh sur des images de forêts et de lacs qui défilent. C'est comme si on mettait Les Cowboys Fringants en traversant Pikine, le quartier sableux et grouillant de Mère, à Dakar. Ou alors on pourrait mettre du Elage Diouf, ou du Karim Ouellet, ça ferait le lien, ça rapprocherait les continents, parce que lui, il est originaire du Sénégal, Karim, il est né à Dakar, et je suis vraiment fier de lui et de ce qu'il est devenu ici. Mère l'aime beaucoup.

Et voilà enfin, sur le trajet qui nous mène au chalet de Marie, une vérité qui sort d'une carte postale ou d'une recherche sur Google : ce que la route nous dévoile en allant au chalet, c'est vraiment cette image que je me faisais du Canada. La force. La force de la grande nature sous le ciel immense et infini. La force de tout en grand. Des autoroutes immenses, des super gendarmes à moto, des montgolfières qui décollent, des circuits de karting et de moto-cross, des camions-citernes de ketchup Heinz, des fermes blanches et rouges avec des vaches et des chevaux, et des arbres partout. Des forêts. Des routes qui sillonnent et des lacs comme des flaques d'eau pendant la saison des pluies au Sénégal. Et des panneaux « Danger » d'animaux sauvages. D'immenses paniers de fruits à vendre sur le bord des routes et des vieilles voitures américaines garées sous des abris en bois. Et Normandin, aussi ! Parce que Bibi n'a jamais autant souffert que d'avoir mangé une poutine chez Normandin, parce que des Normandin, il n'y en a pas à Montréal et ce n'est pas demain qu'il en remangera « une aussi bonne », dit-il. Normandin, c'est l'Amérique. Le restaurant de la route, où les camions s'arrêtent, où les serveuses proposent du café à volonté, du jus de chaussettes comme dirait P'pa. Mère est aux anges. On y mange des desserts glacés immenses avec des bonbons collés dessus et des couleurs comme des feux d'artifices et on y boit notre Coke assis sur des banquettes rouges, en regardant passer des troupes de motards en cuir noir. Comme d'habitude, on fait la curiosité avec nos cheveux afro et la vieille serveuse blonde adore ça, je ne sais pas pourquoi, elle dit que maintenant, c'est trop tard, mais elle aurait aimé adopter des petits Noirs, parce qu'elle les trouve trop *cute*, parce que c'est beau, les Noirs, ç'a la peau douce, et pour une fois qu'on entend des compliments comme ça, c'est loin de Montréal et ça sort de la bouche d'une vraie Québécoise.

On prend notre temps avec Marie, elle fait des détours pour nous montrer d'autres paysages et des points de vue sur le Québec. Elle prend une route qui tourne et qui monte, et qui nous fait tourner la tête et remonter la poutine. Et quand on s'arrête dans un stationnement, Bibi n'est vraiment pas au mieux de sa forme, il a perdu de son lustre, il est grisâtre et ses cheveux sont à plat. Il va derrière un arbre et fait un gros vomi. Quand je lui demande si la poutine, c'est aussi bon à vomir qu'à manger, il ne me répond pas. Puis Marie nous fait faire une marche d'une demi-heure dans la forêt pour arriver tout en haut de la montagne et de là, posté sur un immense rocher plat usé par le temps, je n'ai jamais été aussi haut de ma vie sauf en avion. Je vois un hydravion qui décolle du lac en bas et le paysage est immense, magnifique. Lacs, montagnes, lumières et nuages entrent dans mes yeux si merveilleusement et ça me fait penser à un des calendriers de Western Union qu'il y avait dans la chambre de tonton Atata à Dakar ; on dirait vraiment que c'est un faux décor, tellement c'est beau. Mais c'est un vrai décor de télévision HD et je suis dedans, et tout ça, là, devant nous, est tellement réel, tellement pur et tout, que j'ai simplement envie de m'y jeter, de m'y fondre et je voudrais être ce rocher pour ne plus quitter cet endroit et pouvoir contempler cette beauté pendant mille ans et à chaque instant. C'est un paysage pure laine.

.

Le chalet de famille de Marie est un chalet comme j'ai toujours imaginé parce qu'il est en rondins de bois, comme dans les Mickeys qu'on voyait à la télé à Dakar, avec une terrasse qui surplombe un petit lac et plein d'arbres et des montagnes derrière. Et quand on arrive, il y a déjà du monde qui est là, des voitures garées et des gens qui se font la bise et parlent entre eux. Tout ce monde est là, parce que c'est une réunion de famille chaque fin de semaine, ici, et le barbecue fume de toute la viande qui est en train de griller pour ce soir. Et dans les narines et les yeux de Bibi, qui a digéré son vomi maintenant, je peux lire qu'il se lèche les babines. Ce frère-là, ce n'est pas un frère, c'est un ventre.

Moi qui croyais qu'on était une grande famille au Québec, avec P'pa, Mère et nous trois. Marie, qui est la plus jeune, elle a neuf frères et sœurs, dont certains ont des enfants, plus les cousins-cousines, les oncles, les tantes, le grand-père veuf et les amis qui s'y collent. Ça fait une colonie sociale très importante et ça me rappelle les maisons de famille à Dakar. Heureusement, ils ne vont pas tous dormir dans le chalet, certains n'habitent pas loin. Bibi et moi, on apprend qu'on va dormir dans une tente, comme d'autres enfants, parce que c'est la règle quand il y a beaucoup de monde. La famille de Marie nous accueille comme si on était de la famille, ils mettent tout de suite un verre de vin dans la main de Mère et je vois Mère toute gênée parce qu'elle a discrètement approché le verre de son nez pour le sentir et qu'elle ne boit pas d'alcool, et Marie, qui comprend, vient subtilement lui changer le verre pour du jus de fruits. Tout ça en rigolant, en parlant fort et avec de la musique folk chantée en français, c'est une vraie ambiance. Et c'est un vrai dépaysement pour nous, sauf pour Lila, qui est déjà pieds nus, en train de jouer à la Barbie avec une autre petite fille en mangeant des bleuets dans un bol bleu en faïence. Et là, elle pourrait être ici ou ailleurs, je vois bien qu'elle n'a pas besoin d'autre chose, Lila, pour être heureuse.

Et Mère, sous ma surveillance, bien sûr, devient vite la star du barbecue. Parce que Mère est une belle et grande femme, et les hommes, avec un verre de trop, même en présence de leur femme, lui font tout un cinéma italien sur sa taille de plante tropicale et la beauté fleurie et bouclée de ses cheveux et tout le blabla. Et qu'en plus, avec les ingrédients qu'elle a elle-même amenés, elle prépare une marinade pour le poulet à base de gingembre, de tomatillos du Mexique, de petits piments et de soya Kikkoman comme personne n'a jamais goûté. Tout le monde est curieux de savoir d'où elle vient, cette grande et belle femme noire, comment c'est chez elle, et comment elle trouve le Québec, et pourquoi elle a choisi de venir ici, et qu'elle a de beaux enfants, et bienvenue, etc.

Quand tout est prêt, on nous dit que c'est l'heure de l'apéritif sur le quai en bois au bord du lac, et là, comme par une belle magie naturelle, les arbres sont devenus dorés avec la lumière et le soleil dans l'eau fait comme des millions de petites pièces de dix sous. Il y a deux kayaks au bord du quai et Marie vient nous dire que demain, on pourra en faire si on veut. Je garde « trop le fun » pour moi et je lui souris en lui disant normalement « d'accord, merci ! ». Alors que c'est vrai que j'en rêve, de faire du kayak sur un lac, comme du ski sur la neige et plein de choses qui sont naturelles pour les enfants d'ici. Je m'assois au bout du quai pour contempler la vie, et j'ai les pieds qui trempent dans l'eau, et je crois que c'est une sœur de Marie qui s'approche de moi, elle vient m'offrir des Doritos dans un contenant. Mes yeux doivent être très agrandis parce que la femme rigole tout d'un coup. « Merci beaucoup. » Et c'est si gentil qu'ici ce sont les adultes qui font ce geste, alors que normalement, ç'aurait été à moi de le faire. Ça me gêne, mais vraiment, j'en profite, je croque mes croustilles et là, je suis très bien. Je me dis que la vie est belle.

Finalement, je trouve que le chalet de Marie est une réussite formidable qui me donne beaucoup d'espoir en ce pays. Et l'accueil de sa famille est génial parce qu'il y a une chaleur humaine comme au Sénégal, les gens sont attentionnés et délicats, et on passe vraiment pour des invités de grande marque. Sûrement aussi qu'ils veulent qu'on ait une bonne image d'eux. Il y a quelques enfants de nos âges à Bibi et à moi, mais ils ne nous regardent pas trop, ce sont tous des cousins et ils jouent entre eux. On leur fait peut-être peur, ils sont peut-être timides aussi. Alors on essaie juste de profiter de cette fête, et moi, j'observe beaucoup, je renifle, je goûte, je touche, je plonge tout mon corps dans ce nouveau pays que j'habite, mais que je ne connais pas. Les gens touchent encore nos cheveux, en passant, comme un geste d'affection, mais aussi par éternelle curiosité. Plus tard le soir, les oncles allument un grand feu, et tout le monde se rapproche. Certains jouent de la guitare, d'autres tapent des *djembés*, mais vraiment pas très bien parce que ça fait plus de bruit qu'autre chose, et d'autres dansent comme ils peuvent en se secouant de plaisir, et l'alcool y est sûrement pour quelque chose, ils ont tous à la main un verre de vin blanc ou rouge, ou une bière. C'est une grande joie québécoise et ça me rappelle les *fürel* à Dakar, qui sont des fêtes populaires dans les rues de quartier, accompagnées de musique ou de percussions, il y a plein de monde et ça danse et ça crie, c'est beaucoup de bruits et d'enfants partout et le monde est heureux. Chaque pays a ses joies. Là, du coup, Mère doit se rappeler la danse les pieds nus dans le sable, le rythme des *sabars* et la chaleur de son pays, et peu importe la qualité du tambour ce soir, elle se met à danser avec Marie, à tourner et à sauter, comme une tempête tropicale, un peu comme l'aurait fait Lila. Et immédiatement, c'est reparti, trois hommes l'entourent et se mettent à danser avec elle, ils lui tiennent la main, et Marie nous regarde pour voir comment on réagit, nous, les fils de Mère, mais ce n'est pas grave pour nous, si Mère s'amuse et qu'elle peut oublier un moment tous les tracas de sa nouvelle vie. L'un des hommes, plus fou que les autres, plus soûl peut-être, perd doucement l'équilibre, et comme dans un film, au ralenti, il s'écroule à moitié dans le feu. Tout le monde se précipite pour le rattraper, il rebondit comme un marsupilami, se met à rire comme pas possible, et tout le monde s'embarque dans une franche rigolade. Et la soirée passe, comme les mains sur nos têtes, en douceur.

Alors qu'il reste encore du monde autour du feu, Mère nous dit qu'on devrait aller se coucher maintenant, que tous les enfants sont couchés, et même Lila. Alors Bibi et moi, et c'est vrai qu'on est fatigués de cette longue journée, on va sous notre tente, qu'on s'était monté à notre arrivée avec le cousin de Marie, et c'est la première fois qu'on dort sous une tente, et elle n'a pas de toit, juste une toile moustiquaire, parce qu'il ne pleuvra pas, la météo l'a annoncé et le ciel est limpide. Je me glisse dans mon duvet, on éteint la lampe torche, et si Bibi ronfle avant moi, comme d'habitude, je me dis que tous ces petits bonheurs que j'ai connus aujourd'hui ne doivent pas m'empêcher de penser à P'pa, parce que je sais qu'il aurait aimé être ici avec nous, qu'il est sous sa folie, sous ses draps, sous ses cachets, sous ses piqûres ou je ne sais quoi encore, et ça me gâche le plaisir, alors j'essaie de ne pas me retourner, même si j'ai le ventre serré, un peu noué. Je me demande si les choses ne peuvent aller que dans un sens, toujours mal ou toujours bien, ou les deux à la suite. Comment vont les choses, qu'est-ce qui les fait aller, bien ici et mal plus tard ? Qu'est-ce qui décide des choses ? Qui décide pour qui ? J'essaie de me ramener au-dessous de cette tente, au pied de ce chalet, dans cette nature immense, et de me concentrer sur les voix au loin qui chuchotent autour du feu. Je m'accroche à la réalité et je découvre ce spectacle incroyable, au-delà du voile de la moustiquaire, de l'immensité étoilée et du noir profond de l'univers. P'pa dirait de l'étendue du mystère.

C'est un souci trop fort de réfléchir à tout ça, c'est essoufflant parfois, je me sens comme un corps vide, flottant, mais vivant malgré cela, parce que je veux garder mon espoir. Je ne sais pas si on a de la chance ou pas. Je me dis qu'après tout, on peut en avoir une dose aussi. Après la permanence de Mère, ces trois jours au chalet de Marie sont la preuve que le bonheur existe, même s'il passe vite. Je ne veux pas dire que le vent tourne, que l'on vient du pire pour aller vers le meilleur, mais avec ces trois jours de chalet, j'ai l'impression d'un séjour de trois mois ici, d'une nouvelle saison, inconnue, comme si je flottais sur un des nuages du paradis. Pas besoin d'être mort pour être au paradis. Et là, je suis bien en vie, avec tous les avantages de pouvoir respirer du bon air, de manger et de boire des bonnes choses, de goûter des guimauves au barbecue, de jouer au soccer, finalement, avec les neveux de Marie, de faire des balades en kayak sur le lac et à pied dans la forêt, et de jouer à se faire peur avec Bibi, parce qu'on sait qu'il y a plein d'animaux dans les forêts du Québec et des ours gros comme trois hommes, des cerfs, des sangliers et plein d'autres gibiers encore.

Le vent fait couler les nuages sur les montagnes. Les montagnes sont peuplées de vieux rochers magiques. Il y a des lacs verts et des rivières partout. Les routes sont obligées de les éviter, de les longer ou de les contourner. Il y a de l'eau partout, partout. Et des arbres. Et s'il y a des arbres, c'est qu'il y a de l'eau, et s'il y a de l'eau, c'est qu'il y a des arbres. P'pa disait toujours qu'au Sénégal et partout dans le Sahel, c'est le manque d'arbres qui crée le manque d'eau et le contraire aussi. C'est pourquoi il était si fier de son champ de manguiers. Ces trois nuits passées sous la tente en plein air, avec toute cette vie d'eau, d'arbres et d'animaux, tout cela m'a fait comprendre que ce pays est vraiment un pays sauvage. La nature nous dépasse ici et peut nous donner à chaque instant une leçon ; elle est tellement présente, tellement puissante, on est chez elle, dans sa maison, elle nous impose sa façon d'être, elle nous rend tout petits et pour essayer de la dompter, on est obligés de se soumettre et de lui obéir. Obéir à la nature. Je suis sûr que P'pa aimerait cette pensée.

.

Je repense à ce maudit trou et j'essaie de comprendre pourquoi P'pa creusait, quelle signification le fait de creuser avait dans sa folie ? J'aimerais savoir si creuser un trou, tout seul au fond d'un sous-sol, aurait un sens au Sénégal, dans la culture ou dans les croyances, ou même en philosophie, puisqu'il avait fait ses études dans ce domaine. C'est une question que je ne poserai plus à Mère, parce que sa réponse ne sera peut-être pas la vraie raison pour laquelle P'pa a fait ce trou. Parce que Mère, même si elle nous explique clairement ce que P'pa est, qu'elle veut nous faire comprendre le fond de sa pensée, elle reste elle-même, et ne pense pas forcément la même chose que lui. Parce que lui, il a eu sa vie qui l'a amené à être ce qu'il est, qui lui a donné son expérience à lui ; Mère, elle a vécu moins de choses que lui, elle a eu une vie plus réglée, plus ordonnée, moins chamboulée, avec sa famille, ses voisins, ses amis, son quartier, et elle préfère croire en Dieu pour toutes les explications de la vie, parce que c'est plus simple. Et c'est vrai que ça simplifie les choses de croire en Dieu. Ça rend la vie plus facile, on se pose moins de questions, c'est plus léger comme façon de voir les choses.

Tout est expliqué et il y a une seule réponse au final, c'est Dieu. Alors à quoi bon creuser quand on croit.

Ici, dans la Petite-Nation, nous sommes dans le profond de la nuit et je pense à la nuit. Elle porte conseil. Au Sénégal, on dit aussi qu'elle porte les esprits, les bons comme les mauvais. J'aimerais qu'elle porte les bons pour cette fois, et qu'elle leur fasse traverser l'océan Atlantique pour venir nous rendre visite, nous protéger et aider P'pa.

Je pense à la nuit et la nuit m'absorbe, je me laisse glisser tout doucement sous l'étoffe du sommeil.

Le retour à Montréal est comme un supplice, et on se rend compte que Montréal, ce n'est pas le Québec. Ici, les gens sont méfiants, chacun est dans son coin, la ville nous écrase, elle nous retient, elle nous enfarge, pour dire qu'on se prend les deux pieds dedans, et qu'avant de pouvoir goûter de nouveau au Québec et à un tel délice de nature et d'évasion, il va sûrement couler beaucoup d'eau et de glaces dans le Saint-Laurent. Et puis surtout, c'est le retour dans les soucis, avec P'pa à l'hôpital et le déménagement à organiser. Parce que fin juin, on va déménager, même si on a essayé de convertir Mère à l'idée de ne pas bouger d'ici. On a sorti toutes les raisons pour ça et d'ailleurs, elle est d'accord, c'est que Rosemont est un bon quartier, que son travail et l'école ne sont pas loin, que Lila a sa garderie aussi juste au bout de la rue, que Bibi y a sa gang (au Sénégal on dit presque pareil, « gaign's » pour dire sa bande d'amis, c'est peut-être d'origine gambienne) et donc qu'on y a toutes nos habitudes, et que moi j'y ai Charlotte, mais ça, je ne le dis à personne. Alors c'est sûr, toutes les raisons sont bonnes de rester ici, à Rosemont. Oui, mais Mère ne veut plus habiter dans cette maison, pour les raisons sous-terraines que l'on connaît, parce que c'est une maison hantée maintenant avec ce vilain souvenir, et qu'elle a eu beau chercher un appartement dans le même coin, elle n'a pas trouvé. Une femme seule avec trois enfants, ce n'est pas facile, et les prix sont élevés. Alors, et malgré le souvenir du *boudiouman*, malgré la mauvaise impression qu'on s'est faite du quartier, malgré que tout ça se fera sans P'pa, on va déménager à Villeray–Saint-Michel–Parc-Extension, dans le quartier qu'ils appellent le Petit Maghreb, parce que ce n'est pas loin du métro Saint-Michel, que c'est pas mal de migrants avec des loyers abordables et qu'il y a plein de boulangeries et de boucheries arabes. D'ailleurs, c'est le seul point qui réjouit mon ventre de frère.

Deux jours après notre retour, alors que je n'ai toujours pas vu Charlotte pour lui raconter mes trois jours de chalet, on retourne voir P'pa, Mère et moi. Bibi va garder Lila à la maison et, de toute façon, ça ne sert à rien de torturer toute la famille et de perturber encore Lila avec le fantôme de P'pa. Je me force et je ne me force pas. Je me force parce que c'est dur à vivre, ces visites, mais je ne me force pas parce que c'est P'pa et je sais au fond qu'il a besoin de ces visites et du soutien des siens.

Quand il fait beau dehors, que la chaleur commence à détendre notre corps et que tout le monde sourit, que les visages affichent la joie de l'été qui s'en vient, c'est un comble d'absurdité de se rendre dans un hôpital psychiatrique où c'est triste, lugubre et froid, même si cet hôpital est très bien entretenu et que les gens qui y travaillent sont chaleureux. Dehors, il y a tellement plus de vie. Et j'aimerais beaucoup mieux vivre comme un écureuil insouciant au parc Maisonneuve en ce moment que comme le fils d'un patient atteint de troubles de comportement et de dépression. Mais c'est P'pa.

Triple J nous accueille et nous dit que comme docteure Lavergne a pris trois jours de congé, il ne pourra pas nous en dire plus sur le diagnostic clinique hebdomadaire de P'pa que ce que son état va nous montrer aujourd'hui. Et que même si c'est stationnaire, c'est toujours délicat, car il ne parle pas, ne communique avec personne, peine à manger convenablement, et qu'il faut souvent se bagarrer avec lui pour le perfuser. Triple J nous dit qu'il refuse les perfusions ou se les arrache, ce qui fait qu'ils sont obligés de l'endormir pour le nourrir correctement.

— Mais il se lève parfois ? Vous le détachez ?

— Oui, oui, il est détaché présentement et il se lève, nous répond Triple J, il marche jusqu'à la fenêtre, regarde ce qui se passe dehors. Parfois, il tire une chaise, s'assoit et reste à contempler l'extérieur. Il demeure assez morose, pas très dynamique. C'est vraiment caractéristique de son état.

Effectivement, détaché ou pas, P'pa n'a pas changé depuis la dernière fois ; mais il est détaché, et c'est positif. Entre-temps, Mère est venue deux fois avec Bibi, et toujours le même constat, il semble endormi, on dirait un légume sec et noir débarqué sur une planète blanche inconnue. Mais Triple J est très prévenant et nous dit que la situation n'est pas pire. Il nous encourage et nous demande de passer le voir souvent, de lui parler, de continuer à être présents. Alors, dans mon cœur, je m'y engage. Charlotte m'avait dit la même chose. C'est vrai que la solitude, c'est aussi comme une piqûre de guêpe sur un visage en larmes, elle envenime les situations et fait pourrir les plaies, elle double la douleur, elle fait gonfler la détresse et peut éteindre le goût de vivre. Quand la solitude est volontaire, comme quand P'pa s'est mis au fond du sous-sol, c'est difficile de la comprendre et elle nous rend, nous aussi, solitaires. C'est bizarre, la solitude, parce qu'il arrive qu'on la recherche, on la veut à tout prix, on s'isole volontairement et moi, ça m'arrive des fois, je l'aime alors, elle m'apaise, me renforce et me redonne envie de voir du monde. Parfois, mais je ne l'ai jamais connue comme ça, et je pense que c'est la mauvaise solitude, celle que vit P'pa en ce moment, elle vous enlève le goût des autres, elle est un piège, une oubliette, on s'y enfonce et on n'en trouve plus la sortie ; dans l'obscurité, la petite fenêtre de lumière s'éloigne et il devient impensable de pouvoir s'en rapprocher un jour. Cette solitude-là a besoin des autres et du monde autour pour revenir à la surface de la vie.

La solitude que vit Charlotte n'est pas la bonne solitude. Charlotte ne l'a pas choisie. C'est la vie qui la lui a imposée. Et plus je connais Charlotte, plus je sais ce qu'elle ressent, à la fois d'avoir ce visage différent, avec ce regard croche que je trouve vraiment unique, mais que tout le monde ignore ou fait semblant d'ignorer, et d'être différente familialement, avec sa mère Denise, ses suicides et ses multiples maladies. Dans son école, elle se fait traiter d' « ortho » parce qu'elle est en classe d'adaptation scolaire ; elle se fait traiter de « bigleuse » parce que ses yeux ; et elle se fait traiter de « BS » parce que sa mère. Alors tout ça, ça amène la solitude et je sais que moi, ce n'est pas grave si on me prend pour un Haïtien, parce que Triple J est Haïtien et il est gentil, parce qu'aussi je suis fier d'être Noir et je ne travaille pas si mal à l'école, puis les gens disent qu'on est polis, et en plus j'ai ma famille. Mais quand je compare tout ça à ce que vit Charlotte, sans passé, sans présent, sans futur, alors je comprends ce qu'elle ressent et je pense fort à elle. D'ailleurs, il faut que je lui raconte mes trois jours de chalet, et je vais lui raconter doucement, sans faire de trop beaux dessins, pour pas qu'elle ait mal. Je vais lui raconter par étapes, parce que pour quelqu'un qui est malheureux chronique, de voir un peu de bonheur chez les autres, ça n'aide pas forcément, ça peut mettre mal à l'aise et faire grandir la solitude. Et puis il y a notre déménagement aussi, elle n'est même pas au courant. Je vais essayer de mélanger le récit du chalet avec l'annonce du déménagement, ça fera une moyenne dans les nouvelles, ni trop bonnes ni trop mauvaises.

.

Mère et moi, on a quitté l'hôpital sur un sentiment léger, finalement, parce que P'pa n'était plus attaché, qu'il se levait et faisait des pas dans sa chambre, peut-être aussi qu'il refaisait des pompes chaque matin. Et surtout, il était entre les mains de Triple J, un homme sympathique qui semble avoir beaucoup d'humanité, et qui n'a pas hésité à dire à Mère que je pouvais passer seul, ou avec mon frère, quand je voulais et qu'il serait toujours là pour nous accompagner dans la chambre de P'pa. Il a même été jusqu'à nous donner son numéro de cellulaire privé, bien que je crois qu'il n'en avait pas le droit. Mais il faut parfois forcer certaines règles, juste pour imposer l'humanité. Je repense à cette phrase : *l'homme est le médicament de l'homme.*

Je guette par la fenêtre, je passe plusieurs fois sur le trottoir d'en face, mais les rideaux sont tirés, et le soir, aucune lueur ne filtre, aucune vie ne se fait jour. Depuis notre retour du chalet, je n'ai pas vu Charlotte, ni Denise d'ailleurs, ni de lumière ou quoi que ce soit de cris ou d'ambulance. Je ne comprends pas, car Charlotte m'aurait dit s'il devait y avoir un changement, si elle devait, elle aussi par bonheur, aller trois jours ou dix jours à la campagne, à la montagne ou au bord du fleuve. Mais je ne crois pas, et je me demande ce que Charlotte connaît vraiment du Québec, quels voyages elle a pu déjà faire à l'intérieur de la belle province. Peut-être qu'avec l'école, elle a eu la chance un jour d'aller en camp de vacances ? Peut-être que Denise a de la famille à Chicoutimi, et que Charlotte y a passé tous ses étés ? Peut-être que Charlotte connaît Vancouver et la Californie, qu'elle a fait un pèlerinage à Dallas sur les pleurs de Jackie Kennedy, peut-être qu'elle est allée dans un hôtel à Cuba tout compris ? Autant de peut-être dont la réponse est « sûrement pas ». Elle ne m'a parlé d'aucun voyage, d'aucune famille, d'aucune découverte. Depuis qu'elle est née, elle a seulement découvert sa différence et sa solitude. Elle est comme une petite immigrante ici, bloquée à la ville, prise au piège de sa vie, prise au piège de sa mère, attendant que les jours se succèdent et se ressemblent. Elle aussi, elle avance sur un tapis de gym.

Je me décide à aller chez l'oncle Henri. Lui pourra sûrement me donner des nouvelles. Sur la rue Masson, il y a plein de monde, c'est la vente de trottoir, c'est très vivant. J'aime bien ce quartier. Je n'ai vraiment pas envie de le quitter. En marchant, je croise des familles du monde entier. Je me demande souvent au bout de combien de temps, et par quelle chance ou par quel effort, une famille qui immigre ici, une famille qui vient d'un pays pauvre, a-t-elle la possibilité de se sentir chez elle, d'aller se promener à l'intérieur du Québec et de découvrir son pays d'accueil ? Ou est-ce que c'est une chance qui sera réservée seulement à ses enfants, une fois devenus grands et intégrés ? Car nous, si ce n'était pas grâce à Marie, jamais nous n'aurions pu passer cette fin de semaine extraordinaire. Parce qu'il aurait fallu avoir une voiture, puis prendre un hôtel, puis payer à manger pour cinq, et que cet argent-là, nous ne l'avons pas, parce que chez les migrants, cet argent est généralement mis de côté pour préparer un voyage de vacances au pays d'origine, et que ce voyage coûte tellement cher en famille qu'il faut plusieurs années avant de pouvoir le faire. Et je pense à Mère et je me dis que ça doit être dur pour elle, tout ce temps et cette distance entre elle et sa famille. P'pa, lui, il est habitué aux déplacements, au nomadisme, à être d'ici ou de là et de nulle part. Son seul pays, c'est nous. Mais Mère, elle ? Quand est-ce qu'elle pourra revoir les siens, tata Amina, tonton Alou, Mamoumy et tous les autres ? Je comprends pourquoi il ne faut pas se retourner. Parce que plus le temps passe et plus se retourner devient difficile, les visages s'effacent, mais le souvenir reste et il torture, ce souvenir. Et alors comment s'intégrer, devenir Québécois et aimer ça, être Québécois, si d'un côté, on ne peut pas découvrir le vrai visage du Québec et que d'un autre, on ne peut pas se retourner ?

Parce que si on ne rentre pas au pays de temps en temps, là-bas, on pourrait passer pour des ratés. Les gens peuvent facilement se dire : ils ont eu la chance de migrer, mais ils n'ont rien réussi. Ils n'arrivent même pas à faire un pèlerinage de temps en temps, ils coupent leurs enfants du pays et ne peuvent pas les envoyer se ressourcer. Tu es un raté ici, tu es un raté là-bas. Est-ce qu'il vaut mieux être un raté chez soi que dans un pays qui n'est pas le sien ? Ici, au Québec, tu serais un raté inconnu, personne ne le saurait. Au pays, tu serais un raté connu, et donc tu serais un raté honteux. Tu resterais enfermé chez toi et tu ne voudrais plus qu'une chose, repartir. Plus j'y pense et plus j'ai peur. Plus tard, je n'aimerais vraiment pas être un raté.

C'est que la vie à Montréal nous isole complètement. Le jour et la nuit, le temps qui passe et tous les soucis nous font croire qu'on a un chemin à parcourir et qu'on en fait beaucoup. Mais vraiment, que devient-on quand on migre ici ? Je crois que, comme disait P'pa, réussir sa migration au Québec, c'est réussir à prendre chaque année des vacances dans son pays d'origine. Tous les Algériens veulent ça. Tous les Roumains. Tous les Chiliens de Montréal rêvent de ça. C'est sûr que très peu y arrivent. Et puis comment devenir Québécois et se sentir vraiment Québécois quand on est migrant, Noir, pauvre, les deux pieds englués à Montréal ? Peut-être que P'pa et Mère auraient dû suivre les conseils que les gens de l'immigration leur avaient donnés à notre arrivée : « Montréal est saturée, allez dans les régions, il y a plus de possibilités d'emplois. » P'pa n'aurait peut-être pas sombré dans le sous-sol et on serait peut-être tous ensemble, dans une jolie maison d'un joli quartier. On aurait une voiture garée devant. On aurait des amis québécois.

Mais je n'aurais pas connu Charlotte.

.

L'oncle Henri n'est pas chez lui. Alors je fais demi-tour, je pense qu'il est à sa caisse, au Maxi. Je le croise sur le chemin du retour. Lui ne me voit pas, c'est moi qui le vois.

— Bonjour, Henri !

— Ah, Soleil ! Ça va ?

Normalement, je ne devrais pas dire Henri. Je devrais dire tonton Henri. Parce que celui qui a l'âge de ton père ou même plus vieux, tu dois lui dire tonton. Mais ici, ça ne se dit pas et même si c'est une marque de respect au Sénégal, ici, ce n'est pas mon oncle, alors je ne dis pas tonton.

— Oui ça va, merci, ça fait longtemps.

— Tu n'es pas avec Charlotte aujourd'hui ?

— Euh non. Justement je voulais te demander des nouvelles parce que je ne l'ai pas vue ces derniers jours...

— Ben, moi non plus. Je ne sais pas, tu es passé chez elle ?

Ça ne servirait à rien de trop m'étendre sur la relation avec Charlotte, pourquoi je ne passe pas chez elle, pourquoi elle ne vient pas chez nous et toutes ces complications de la vie. Alors Henri me propose une glace et on s'assoit tous les deux sur les bancs en béton de la crèmerie de la rue Masson. Et là, par la bouche de Henri, j'en apprends un peu plus.

J'apprends que Henri n'est pas son oncle, ni le frère de sa mère, ni rien de tout cela, parce qu'il ne connaît même pas Denise, qu'il connaît Charlotte par le biais de Richard, son chum qui est décédé maintenant et qui travaillait comme éducateur pour la DPJ. Que c'est comme ça que parfois, Richard avait la charge de Charlotte dans les moments critiques. Et c'est aussi comme ça que j'apprends la vraie histoire de Charlotte, celle qu'elle avait peut-être du mal à accepter et à m'expliquer. L'histoire que Charlotte a oubliée elle-même. Ce n'est pas qu'elle me mentait. C'est qu'elle essayait de se donner une image moins catastrophique.

Charlotte est née dans cette maison, en face de notre maison, dans la chambre de sa mère Denise, trop maganée pour aller accoucher à l'hôpital. Et déjà, le père de Charlotte était un fantôme, qui faisait des va-et-vient entre la prison et la maison. Après, c'est une de ces histoires qu'on lit dans les journaux ou qu'on voit à la télé, avec un papa alcoolique et drogué qui bat sa femme et vole des voitures, habitué de la police et qui finit par quitter le domicile du jour au lendemain, sans donner de suite. Mais ce n'est pas la télé, ça, c'était quand Charlotte avait quatre ans. À partir de là, Charlotte était restée seule avec sa mère gelée aux trois quarts, et les hommes avaient dû se succéder dans la vie de Denise, car Charlotte disait qu'elle avait plusieurs pères. C'est à peu près à cette période que Richard est intervenu, promettant à Denise de ne pas lui retirer Charlotte, à la seule condition qu'elle essaie de se discipliner et de faire de l'ordre dans sa maison. J'apprends aussi par Henri qu'il y avait une grand-mère avec Charlotte au début, la mère de Denise, propriétaire du duplex, mais qu'elle est morte. Denise a revendu tout le duplex et s'est gardé le trois et demie gauche du premier étage. Le père a mangé tout l'argent, ou l'a bu. Et c'est comme ça qu'elle a tenu, avec ses économies et son maigre BS. Bref, il y a toute une autre histoire derrière la vie de Charlotte, et cette vérité, elle la cache bien au fond de son regard.

Maintenant, je reste seul avec ma pensée de Charlotte et de madame Papillon. L'image de P'pa aussi et tout cet encombrement d'idées qui me viennent et dont je ne sais pas quoi faire. Et ce pauvre tonton Henri en face, qui me sourit pour essayer de sauver les apparences, il ne peut pas bien m'aider. Alors, après lui avoir dit merci pour la glace, je me lève, je lui dis au revoir et je m'en vais, sans me retourner.

CHARLOTTE

Les grandes vacances ont commencé et je n'en profite pas. Depuis notre retour de la Petite-Nation, je passe mon temps comme ça à flotter entre l'école, le parc Pélican, la rue Masson et ma fenêtre. Et toujours pas de Charlotte. Et personne à qui demander parce que ça ne regarde personne, notre relation et ce que je ressens. Bizarrement, j'ai au fond de moi comme une brûlure atroce qu'aucune boule de Coaticook ne peut soulager. Et pourtant, je m'en gave, de Coaticook, parce qu'il fait une chaleur humide comme en hivernage au Sénégal et que j'aime ça, la chaleur et la glace qui fond. Je passe beaucoup de temps à la fenêtre, parce que c'est plus discret que de se mettre dehors et d'attendre. Et je mange de la glace à la cuillère directement dans le pot, bien que je n'en aie pas le droit. Mère est au travail. Lila est à la garderie, pas de vacances pour elle. Bibi est quelque part où il ne veut pas que je le suive, je ne sais pas où, mais il a une vie à part maintenant, je suis devenu son frère à temps partiel. L'autre moitié du temps, je suis le collant, le niaiseux, le gossant, l'empêcheur.

Je vois la factrice par la fenêtre qui s'approche de chez nous, elle passe à notre boîte, ça fait le bruit du courrier dans les boîtes aux lettres, et elle repart, pressée comme son métier le demande ; en un rien de temps, elle couvre toutes les boîtes aux lettres de toutes les maisons de beaucoup de rues. Elle est sportive, la factrice. Alors moi, je fais le facteur de l'intérieur, et en traînant les pieds, je vais ramasser le courrier. Ce qui est fou, c'est les publicités qui nous arrivent. Je décide de faire le ménage dans cette boîte aux lettres et j'en sors un sacré paquet. Je n'avais pas vu, mais la boîte est bondée de pamphlets et de cartes de visite de vendeurs, de techniciens, de coiffeuses et une seule lettre, sûrement celle que la factrice vient de déposer. Une lettre de Revenu Québec, adressée à P'pa et à Mère en même temps.

Dans tout ce fouillis, coincé, au fond, je trouve un petit papier, plié en quatre. Je le déplie et le lis. Il m'est adressé :

Soleil, je suis désolée. Je crois que ma mère est partie à l'hôpital pour toujours, parce qu'elle ne respirait plus en partant... Ils lui ont mis des tuyaux et un masque, mais il ne tenait pas à cause de la bave. Et heureusement que tu n'étais pas là, parce que ce n'était pas beau à voir. Mais j'ai quand même nettoyé le vomi avant que l'ambulance arrive. Ils m'ont emmenée aussi, mais je suis revenue aujourd'hui prendre mes affaires. La maison va être vidée et moi je dois quitter la maison. Je m'en vais rejoindre le centre jeunesse. Je ne sais pas lequel, je crois qu'on va me placer en famille *d'accueil après, ça ne me plaît pas du tout. La seule famille d'accueil que je voudrais, c'est la tienne. Je sais qu'on se reverra, j'essaierai de passer te voir. Prends bien soin de toi et occupe-toi bien de ta famille. Tu es fort, Soleil, continue ! Je t'*aidmire...

.

Ce n'est pas daté, mais c'est signé Charlotte Papillon.

Si la maison ne répondait pas et la fenêtre non plus, c'est parce que la maison est morte, vidée. Son âme a voyagé. Charlotte n'est pas en vacances ou au chalet ou en Californie. Elle n'est tout simplement plus là. Denise est morte ? Pourquoi personne ne m'a rien dit ? Henri était-il au courant ? Sûrement pas, sinon il me l'aurait dit. Je ne comprends plus. Charlotte essaiera-t-elle de passer me voir ? Mais on va déménager à la fin de la semaine. Mais non, il ne faut pas déménager. Ce n'est pas possible ! Ça se bouscule dans ma tête. Comment je vais faire pour lui dire qu'on a déménagé ? Je veux dire si elle revient par ici, peut-être seulement pour me dire bonjour, il n'y aura plus personne, et nos fenêtres se feront face, comme deux vieilles étrangères qui n'ont jamais rien eu à se dire.

Et je relis le mot. On dirait qu'elle avait commencé à écrire *je t'aime* et peut-être qu'elle n'a pas pu l'écrire. Ou qu'elle ne sait pas l'écrire parce qu'elle ne sait pas le dire. C'est un lapsus écrit. Je ne sais pas. Je me prends à avoir chaud aux oreilles et sous les bras, et mon cœur bat comme si j'avais fait le tour de la terre en courant à reculons.

Je reprends ma place dans notre salon. Je suis seul et je deviens une fenêtre solitaire, à laquelle il reste encore un peu de vie, mais je n'essaie plus de regarder celle d'en face, car je me fais mal tout seul. Je ne sais pas pourquoi j'ai mal. Ce que je ressens, je ne l'ai jamais ressenti, la boule de feu dans le haut du ventre, que la fraîcheur de Coaticook n'arrive pas à calmer.

Je cherche maintenant à oublier, parce que l'oubli est un remède. J'ai essayé comme P'pa de l'appliquer depuis notre premier jour à Montréal. Je cherche l'oubli, je veux l'oubli, je vois l'oubli, je m'approche de lui, j'essaie de le prendre à pleines mains, à plein cœur, et alors que je crois le tenir et enfin oublier, comme un claquement de doigts, il m'échappe au dernier moment, l'oubli... Je ne le maîtrise pas, il est autonome, il est rapide, il est fuyant comme le vent, et à chaque fois, ce sont les yeux de Charlotte qui le remplacent. Je crois que l'éclair de son regard et l'orage de ses yeux sont plus forts que l'oubli. Je vis un sentiment que je n'ai jamais connu et dont je veux m'échapper, parce que je me sens prisonnier, je ne suis pas à l'aise avec lui, ce n'est pas mon naturel, je le fuirais au galop si je pouvais, mais je ne vois pas de porte ni de fenêtre de sortie. Si je pense comme je devrais penser, alors je penserais que je suis marabouté, c'est-à-dire que quelqu'un quelque part joue avec mon cerveau, le manipule, le façonne et s'en amuse. Mais ce n'est pas ça. Je n'ai pas de nom à mettre là-dessus. Je ne veux pas en mettre non plus. Je ne veux penser à rien. Je veux seulement oublier.

Déjà une visite à l'hôpital, ce n'est jamais amusant. Mais quand il s'agit de P'pa et que c'est une maison de fous, on ne parle plus de visite mais de mission. J'ai la mission d'accompagner P'pa et de l'aider à revenir à lui. P'pa a maigri, ses cheveux ont vite poussé et ses yeux n'ont pas la même couleur que d'habitude. Dans le couloir, quand il marche, on dirait qu'il flotte. Il n'a pas l'air sur terre. Ses yeux fixent un point devant lui et il marche comme un zombie, sans quitter ce point du regard, comme une cible à atteindre. C'est sûrement toutes les drogues qu'on lui donne.

P'pa a découpé un bout de journal et l'a collé dans sa chambre, sur le petit buffet blanc à côté de la fenêtre. Sur ce bout de journal, il est écrit : *Écoutez la voix de la raison : suivez votre instinct*. Je ne comprends pas trop pourquoi il a collé ça ici. C'est peut-être comme une bouée pour lui, un pense-bête pour essayer de se ramener à la raison.

P'pa, quand est-ce que tu nous rejoins ? Parce que je te dis, nous, on est au Canada. Ça fait presque deux ans maintenant, on a quitté le Sénégal, tu sais, notre grand voyage familial, tu te souviens ? On a déménagé, je sais que tu le sais. Ça y est, je crois, tu as creusé suffisamment profond, puis tu as fait le tour de ta chambre et tu connais le paysage de cette fenêtre, alors maintenant, j'aimerais que tu nous rejoignes. Que tu viennes enfin prendre ta place dans notre nouvelle vie.

Comme je lui parle en silence, P'pa reste inerte sur son lit. Parfois, il se retourne vers moi, me regarde comme un étranger et se remet dans le sens de la fenêtre comme pour bien voir le jour qui décline. Je n'ose pas vraiment lui parler directement, je veux dire à haute voix, car j'aurais peur qu'il me réponde. Je ne veux pas qu'il me dise des choses incompréhensibles ou qui n'auraient un sens que pour sa folie. Je préfère entendre son souffle, parce que ce souffle n'a pas changé, il a le même bruit, le même rythme, la même profondeur.

P'pa s'est endormi.

Qu'est-ce qui se passe dans la tête d'un malade mental ? Je me demande donc où se trouve la limite entre fou et pas fou ? Comment on bascule de l'un vers l'autre ? C'est une petite limite ou c'est une grande limite ? C'est une frontière bien gardée ? C'est un héritage ? Est-ce que je vais en hériter ? Est-ce qu'il y a des étapes ? Est-ce que c'est petit à petit que tout cela s'installe ? Est-ce que c'est d'un coup, sans prévenir ? Est-ce qu'être raté peut mener à être fou ? Pourquoi je pense toujours à ce mot, « raté » ? P'pa n'est pas un raté. Je ne dois pas penser comme ça. J'essaie seulement de comprendre cette histoire et comment P'pa voit la vie maintenant, mais je me trompe de pensée, je prends la mauvaise voie et mon cerveau déraille.

Je reste en silence dans le rythme du souffle de P'pa. Et c'est déjà la fin de ma visite, de ma mission. Je n'ai rien accompli. Triple J vient me chercher et me raccompagne jusqu'à la sortie de l'hôpital. Cet homme sourit tout le temps et beaucoup de gens, d'infirmières ou de docteurs, lui rendent les sourires dans les couloirs. C'est tellement simple, un sourire. P'pa était comme ça.

— Voilà une visite de plus. C'est bien, tu es courageux. Ton père peut être très fier de toi. Monsieur Abdou Gueye a un bon fils.

— Merci !

Triple J me prend quelques secondes en accolade. Et nous continuons notre marche dans les couloirs.

— Heu, c'est comment votre prénom ? Parce que...

— Jacques. Jacques Jean-Jacques. Je sais, ça fait un peu répétition, mais comme ça, mes parents étaient sûrs de ne pas me perdre, dit Triple J en riant de plus belle. En Haïti, on a souvent des prénoms pour nom de famille, surtout lorsqu'on est d'origine campagnarde. Des paysans, quoi !

Il s'arrête devant une machine à distribuer des boissons.

— Tu veux quelque chose, un coca ?

— Non merci.

— Tu as faim ?

— Un peu...

Il se prend un coca et poursuit :

— Ça te dit, une pizza, une poutine ?

Je n'ose pas répondre mais c'est vrai que ça me dit. Il me prend par l'épaule et enchaîne, tout en continuant la marche vers la sortie :

— Donc tu vois un petit peu. Il y aussi des Haïtiens qui ont des noms de famille dont ils ont hérité directement de la bourgeoisie mulâtre. C'est les métisses, les mulâtres, tu sais, et ce sont des noms de famille qui viennent directement des colons français du dix-huitième siècle...

— Ces Français, ils ont colonisé partout. Je comprends pourquoi les Québécois les traitent de maudits...

— Oui ! Ils vous colonisent, ils vous laissent leurs noms, leurs mauvaises habitudes et après, ils s'en vont.

— Au Sénégal, ils n'ont pas laissé beaucoup de noms de famille, je crois. On est tous des Ndiaye, des Diop, des Diouf...

— Ou des Gueye... Et il me tape sur l'épaule. Allez, j'ai un creux, moi, on va se manger quelque chose.

— D'accord. Tu sais, je pense à un proverbe au Sénégal qui dit qu'un nom de famille n'habite nulle part. *Sant dëkkul fenn !* Il ne connaît pas les frontières et on peut le retrouver dans plusieurs pays à la fois.

— C'est bon ça, répond Triple J, et peut-être que dans trois générations Gueye sera un nom québécois aussi... Tu parles ta langue maternelle ?

— Euh... Le wolof ? Pas vraiment, mais je le comprends. On parle français à la maison, sauf quand ça se chicanait entre mes parents. Et j'ai bien hâte qu'ils se chicanent de nouveau... Finalement, j'aime quand ils se chicanent.

Nous sommes assis dans la salle du Déli. Ça sent les frites. On est sans rien se dire. Triple J croque dans son sandwich et me regarde manger. Une poutine. Une que Bibi n'aura pas.

— Tu crois que mon père va guérir ?

— Oui. C'est sûr. Il va déjà beaucoup mieux, je peux t'assurer. Comparé à comme il est arrivé. Je n'ai pas trop le droit d'en parler. Tu comprends ? C'est à la docteure d'en parler avec ta mère. Mais ce que je peux te dire, c'est que ça va. Tu dois rester confiant.

Triple J ne peut pas me faire plus plaisir. Même s'il ne se prononce pas trop, et ne veut pas donner de date, il me laisse comprendre que si les bonnes choses ont toujours une fin, les mauvaises choses aussi. Il enchaîne :

— C'est bon, ta poutine ?

— Oui !

— ...

— Monsieur Jacques, j'ai une question. Je ne sais pas si...

— Vas-y. Je t'écoute.

— Euh... C'est par rapport... Euh... C'est vrai que les Haïtiens, ils n'aiment pas les Africains ?

Ce doit être une question compliquée ou gaffeuse, parce que Triple J reste figé. Il semble un peu perdu, sans mots. Ses yeux se mettent à chercher une réponse ou des idées, quelque chose de simple et de clair, mais ça n'a pas l'air facile. Il reste silencieux, tourne sa tête vers la fenêtre vitrée du Déli, regarde ses mains, il hésite, gêné, il tord sa bouche, se frotte le menton et finit par se racler discrètement la gorge... Tout ça peut-être parce que finalement, ma question n'est pas intelligente, je m'en rends compte.

— C'est une question étrange, venant de la bouche d'un jeune garçon, me dit Triple J, mais c'est une bonne question, une question qui existe... Et tu ne l'as pas inventée. Elle n'est pas de toi, n'est-ce pas ?

— J'ai entendu dire ça...

— Où ? Chez toi ?

— Non... Enfin oui, mais mes parents n'ont rien contre les Haïtiens. C'est que...

— Je comprends... C'est une perception, un sentiment. C'est lié à l'Histoire, tout ça, et je crois qu'il me faudrait plus qu'une soirée pour essayer de te répondre, Souleye... En tout cas, plus que les quelques minutes que j'ai devant moi. Et encore ma réponse n'engagerait que moi. Elle ne serait pas définitive, tu comprends, ça ne serait pas la vérité. Ça serait mon seul point de vue. Tu saisis un peu ?

— ...

— Bon ! En deux mots, je te dirais juste qu'un

parent qui abandonne ses enfants est impardonnable. Tu comprends ça ?

— Oui !

— Impardonnable ! Mais que seuls ses enfants sont en mesure de le pardonner. S'ils y arrivent... Et il vaut mieux qu'ils y arrivent, car personne d'autre ne peut le faire pour eux.

Là, c'est moi qui ne sais plus quoi dire. Je baisse les yeux vers ma poutine. On est tous des abandonnés sur cette terre. Je pense à P'pa.

— Ça veut dire que mon père est impardonnable ?

— Ah ! Sacré Souleye. Tu me fais dire des choses... Non, ton père, c'est différent. Il ne vous a pas abandonnés, il s'est abandonné tout seul, à lui-même... Et je sais que tu ne lui en veux pas, n'est-ce pas ?

— Oui ! Non, je ne lui en veux pas.

Il se lève et va payer la note. Je crois que je l'embarrasse avec mes questions. Nous marchons encore quelques pas ensemble sur le trottoir.

— Tu as une sacrée tête, Souleye, y'en a là-dedans... On se voit quand tu veux. Bonne soirée, tu salueras ta maman.

— Merci, monsieur Jacques. J'essaierai de venir jeudi.

Le trou

Je crois que pour essayer d'effacer tous les tracas, rien de tel que l'action. Bouger. Se fatiguer. Ranger, porter et se faire mal. On ne peut pas oublier P'pa, comme je ne peux pas oublier Charlotte, comme rien de ce qui fait certains passages de notre vie. Je crois que rien de ce qui fait les bonnes ou les mauvaises rencontres, les départs, les arrivées, les grandes peurs ou les grands bonheurs ne peut être supprimé de notre mémoire. Mais un déménagement, c'est très pratique, parce que ça vous en ajoute, des soucis, qui écrasent les autres. C'est comme un entassement de cartons. Et un déménagement entre Rosemont et Villeray est encore plus compliqué qu'entre Dakar et Montréal. D'abord parce que P'pa n'est pas là pour diriger la manœuvre et qu'en plus, à Dakar, c'est bien simple, on a quitté presque les mains dans les poches. Là, il faut tout prendre. Donc tout ranger. Tout emballer. Tout porter. Tout déballer et tout re-ranger. Heureusement que Marie est avec nous et qu'elle nous prête son frère, qui est venu de Terrebonne avec sa fourgonnette, et aussi que les Québécois, ce sont des spécialistes en déménagement, ils sont formés à ça dès qu'ils sont tout petits, ils sont une nation de déménageurs. Ce qu'on aurait mis une semaine à faire sans eux, on l'a fait en une grosse journée. Mais avant, comme préparatif au grand chambardement, il y a le rangement. Et pour moi et Bibi, ça veut dire s'occuper du sous-sol. Dégager ce qu'on peut, essayer de remettre de l'ordre et monter ce qui est récupérable. Je ne suis pas bien sûr qu'il y ait quoi que ce soit de récupérable, des grains de sable orange ou peut-être quelques poussières de lucidité oubliées par P'pa avant qu'il nous quitte. Mais surtout, il faut reboucher le trou. Et ça, Mère ne veut pas s'en occuper.

Depuis le départ de P'pa, seuls Bibi et moi y sommes retournés, au sous-sol. Aujourd'hui, c'est la deuxième fois. Mère n'a jamais voulu y remettre les pieds et interdisait formellement à Lila de s'y aventurer. Il faut dire que son dernier passage au sous-sol avait été plutôt mouvementé. Elle a gardé le souvenir des yeux fous et rougis de P'pa et de ses menaces physiques. L'appartement posé sur ce sous-sol maudit, l'idée seulement que le trou y soit encore trou, sombre et sans fin, avec au milieu toutes les affaires de P'pa accumulées au fur et à mesure de ses sorties, cet enchevêtrement de planches de bois, de barres de métal, de morceaux de meubles, toutes ses créations, tout ce vrac de néant et de souvenirs douloureux donnent sûrement à Mère beaucoup de soucis.

Dans cet espace sous-terrain, l'atmosphère est intenable parce que peuplée de peurs et d'interrogations.

C'est un sous-sol comme une grotte de préhistoire jamais revisitée, où sont encore accrochés aux murs, pendants et tout croches, les souvenirs de notre histoire québécoise. Plein de sculptures étranges et d'assemblages en bois que P'pa avait fait avant qu'il ne pète sa coche et décide de creuser. Ce sous-sol est complètement humide, poisseux et il sent le même renfermé que le linge sale de Bibi après ses pratiques de hockey l'hiver. Des champignons poussent par terre comme un tapis de velours glauque, des flaques d'eau se sont accumulées un peu partout. Ce n'est pas très sain, tout semble figé et moite, et même la lumière, qui entre timide et tremblante par la petite fenêtre du fond, est bizarre, toute trouble. Quand je pense que P'pa a passé presque cinq mois enfermé ici, sans contact avec la réalité. Comment a-t-il rendu cela possible ?

.

Le trou.

Il est toujours là. La terre qui en est sortie a été accumulée sur les côtés à une hauteur incroyable qui dépasse la taille de Bibi et prend presque la largeur du couloir. Cette terre noire et humide doit retourner au fond du trou. Et de toute manière, nous n'avons pas le choix. La propriétaire irlandaise, si gentille qu'elle ait pu être avec nous depuis le début, n'accepterait jamais qu'on lui rende une maison en équilibre sur un trou.

Nous nous tenons maladroitement debout au-dessus du trou. Bien sûr, Bibi et moi, on n'a pas envie de commencer ce travail qui nous paraît titanesque : reboucher la folie de P'pa. Mettre un pansement là-dessus. On aurait dû le faire petit à petit, poignée de terre après poignée de terre, jour après jour, depuis son départ. On aurait déjà fini et oublié tout ça. On aurait déjà la tête plongée dans notre nouvelle maison.

Bibi est le premier à commencer à reboucher. Avec ses pieds, comme un chat qui veut recouvrir sa merde, il fait glisser la terre en dedans. Je ne sais pas pourquoi, peut-être par énervement face à ce travail à accomplir, il se saisit d'un écrou qu'il vient de ramasser au sol et le jette dans le trou. Là, un bruit sourd accueille l'écrou tout au fond, un bruit bizarre, à la fois creux, rond et métallique. Interloqués, Bibi et moi, on se regarde avec les yeux de la peur : le fond du trou serait donc habité par un djinn casqué, moustachu et ventru de surcroît, un individu maléfique et cynique, chef de la folie des hommes, qui prendrait tout son temps pour se mettre à sacrer et nous renvoyer l'écrou. Mais à l'évidence, si djinn il y a, il est mort ou dort d'un maudit profond sommeil. Bibi me laisse seul et remonte chercher la lampe torche, car le peu de lumière qu'il y a dans ce sous-sol, une ampoule économique en spirale, peine à éclairer seulement la surface fantomatique du trou. Sur son bord, j'ai l'impression d'être un pirate sur la planche à requin, une voix rauque et sans âme qui m'ordonne de sauter, je sens la pointe du fleuret déchirer mon tee-shirt et me pincer la peau. Heureusement, Bibi revient à l'abordage et me sauve d'une folie passagère.

Avec la lumière de la torche électrique, on s'aperçoit que sur les flancs du trou, il y a plein de cavités rondes et un peu profondes, ce sont des encoches faites à même la terre pour s'agripper, pouvoir monter et descendre avec ses bras et ses jambes. Ce qui aura permis à P'pa de se passer d'une échelle ou d'une corde de rappel. C'est que le trou est juste assez large pour y faire passer un homme. Un trou au fond pas si profond, parce qu'à vue d'œil, on dirait qu'il fait six ou sept mètres.

En voici donc enfin le fond. En forme de fin de cauchemar ? Comme le fond d'une vilaine plaie qui commencerait peut-être enfin à cicatriser ? En tout cas, on n'y voit pas de djinn ou de lutin maléfique, seulement un seau en plastique bleu très abîmé et une valisette. La mallette de P'pa, sur laquelle s'est ramassé l'écrou tout à l'heure, la mallette de P'pa quand il faisait ses va-et-vient, quand il cherchait du travail et qu'il voulait faire de lui quelqu'un comme tout le monde, ni trop con ni trop raté. Bibi veut qu'on enterre le tout, de toute manière, à ce stade, ça doit être pourri, on recouvre tout ça et on n'en parle plus et à personne. Surtout pas à Mère, car ça pourrait lui faire ressortir les mauvais souvenirs au moment où elle est peut-être elle aussi en train de les enterrer. Mais moi, je ne suis pas pour. Je veux dire, je ne suis pas pour qu'on enterre la mallette. Elle appartient à P'pa, il y a peut-être encore des affaires, je ne sais pas moi, des photos, des papiers d'identité précieux, des adresses de ses amis d'enfance, des liasses de faux billets. Ou peut-être quelque chose de plus riche encore. Ou peut-être rien du tout, simplement de l'air qu'il aura respiré avant qu'il soit tombé malade, un air qui respire notre bonheur d'être tous ensemble réunis, ou peut-être encore un génie qui va apparaître et réaliser notre vœu familial le plus cher. Bref, moi je dis qu'on ne peut pas laisser cette valise enfouie dans le trou, l'ensevelir subitement comme un objet cadavre, ce serait comme si on enterrait P'pa... Et il est encore trop tôt pour que ça se fasse.

Évidemment, Bibi n'est pas chaud à l'idée de descendre et comme c'est moi qui suis contre l'enterrement, alors c'est moi qui dois me glisser au fond, à moins qu'on trouve un autre système : une corde, un crochet et hop ! on tire comme à la pêche à la ligne, que même Lila, elle serait capable de gagner la mallette. Mais rien de tout ça dans le sous-sol. Alors il faut que je descende, et à mains nues, sans pouvoir m'aider des encoches, car elles sont bien trop espacées pour moi. Là, tout d'un coup, je me prends une envie de pisser du diable, parce que la peur, ça fait pisser, et glisser au fond de ce trou, c'est comme si j'allais rendre une visite à ma propre tombe, un petit tour pour repérer les lieux de ma future absence et hop ! je reviens dans le monde des vivants. Si jamais j'arrivais à en revenir. Alors Bibi me dit que j'ai qu'à pisser au fond du trou, il n'y a pas plus naturel, comme toilettes. Autant me pisser dessus, donc, mais pour qui il me prend ?

Le temps d'aller me vider la vessie au rez-de-chaussée, Bibi a trouvé le système : prendre une très longue poutre de bois et la glisser au fond du trou. Elle arrive à peu près à un mètre du bord et pour moi, c'est facile de me laisser glisser dessus. Pour le retour, je n'aurai qu'à grimper dessus, comme un singe.

.

Au fond du trou, c'est encore plus noir que tout. Bibi m'éclaire de là-haut, mais je me fais de l'ombre et je n'y vois rien, je vais à tâtons. Je récupère la mallette par sa poignée, j'essaie de regarder vers le haut, mais la lumière m'éblouit. Mon cœur bat encore d'un autre tour du globe. Je me dis qu'il vaut mieux ne pas traîner ici et je remonte aussitôt, en tenant la mallette comme je peux, parce qu'elle est lourde et qu'on n'a jamais vu un singe grimper un cocotier avec une mallette.

On se rend bien compte qu'il y a des choses dans cette valisette noire, des papiers ou des documents, enfin quelque chose qui pourrait être utile pour aider P'pa, mais impossible de l'ouvrir. Alors Bibi ramasse un tournevis de P'pa et force comme fou : clac ! À l'intérieur, il y a des feuilles et des feuilles et des feuilles, et sur ces feuilles, des mots, des textes, des choses écrites ou raturées. On dirait des poésies, essentiellement, mais il y a aussi plein d'autres textes gribouillés, des notes, des pensées, des phrases sans début ni fin et des dessins faits au stylo. Je me dis que c'est peut-être le fruit de la folie de P'pa, plutôt même la graine ou la racine, et je me demande si c'est une bonne chose, finalement, d'avoir fait remonter ça à la surface. On remet tout dans la mallette, qu'on cache sous l'escalier. Et là, vraiment, on commence notre travail de rebouchage de trou, parce que le temps passe et qu'on doit quitter cette maison ce soir. Ça nous prend trois heures, ce n'est pas si long finalement, mais on travaille comme des clients de pénitenciers.

Mère vient juste demander de nos nouvelles du haut de l'escalier et, oui, on peut lui dire que la job est faite et qu'on va pouvoir quitter cette maison avec l'esprit tranquille. La propriétaire n'y verra rien, parce qu'on a bien tassé avec nos pieds et tout recouvert avec des morceaux de bois et d'autres bricoles qui traînaient en bas. Un vrai camouflage.

Le trou, c'est fini. Mais le pourquoi du trou, ce n'est pas fini. Et aujourd'hui, ce ne sont pas ces textes sortis de terre qui me donnent la réponse. J'enlève rapidement tous les textes de la mallette et je les mets dans un sac en plastique Maxi. Parce que ce n'est pas discret, une mallette, et je me vois mal marcher avec ça. On me prendrait pour un fou. Je glisse le tout dans un de mes sacs et hop ! je remonte dans la maison vide. Mère passe un dernier coup de balai pour laisser propre derrière nous. De gros sacs poubelles noirs avec quelques déchets traînent encore sur le trottoir, mais nous sommes fins prêts. Tout est embarqué, Marie et son frère ont fait trois voyages pour tout emmener dans notre prochaine maison. Nous sommes la marchandise du dernier voyage : Bibi, Lila, Mère et moi. Chacun avec son sac d'affaires personnelles. Nous quittons cette maison maudite.

.

Et me voilà quittant encore un passé, sur lequel, cette fois, je ne veux pas me retourner. À part ce passé avec Charlotte. Ce sont des couches de passé qui se superposent, il va falloir un jour que je fasse le tri et que je me débarrasse des mauvaises couches. Parce que les mauvaises couches de passé abîment les bonnes. Et parce que je ne veux pas mêler mon souvenir de Charlotte avec le souvenir du trou, des ambulances et des pleurs. Je veux un souvenir de Charlotte sans rien autour. Juste un ciel bleu, une belle musique et ses yeux qui basculent. Un seul souvenir dans ma petite mémoire de rien du tout, car maintenant, je ne sais même pas si je la reverrai. L'une face à l'autre, nos fenêtres sont fermées.

Depuis le pare-brise arrière de la voiture de Marie, la 5e avenue disparaît dans la nuit. Par la vitre, c'est toute la ville et ses lumières qui défilent et qui m'aveuglent. Je ferme les yeux. J'aimerais écouter madame Papillon. Là, maintenant.

UNE CINQUIÈME SAISON

Je ne sais pas comment vient un poème à celui qui l'écrit, ce qui le pousse à écrire des mots qui vont ensemble, des mots qui résonnent, des mots qu'il attache et qui font une guirlande d'images, de sons et de rythmes. Je ne crois pas que j'arriverais à écrire un poème qui soit autre chose que des rimes. C'est assez facile, les rimes, ce qui est plus dur, c'est que ça veuille dire quelque chose, c'est l'émotion aussi, le côté madame Papillon. Je regrette de ne pas avoir essayé d'écrire un poème à Charlotte.

Parmi tous les papiers retrouvés dans la valisette noire, le dernier texte de P'pa est daté du 27 janvier. Deux mois avant qu'il ne soit emmené aux urgences psychiatriques. C'est un poème et ce que je sais, c'est qu'un poème n'est jamais écrit pour rien. P'pa y parle d'atomes, de psaumes, des quartiers oubliés de la mémoire, des cinq sens et de l'absence. Je lis toutes ces pages en diagonale, j'essaie d'y déchiffrer quelque chose, mais ce n'est pas évident. Je ne sais pas si ces textes peuvent expliquer l'état de P'pa aujourd'hui, je ne sais pas s'il y a une vérité derrière ou un message d'adieu, un appel au secours ou le signe d'une folie naissante. Il faudrait que je le fasse lire à quelqu'un. Mère ? Je ne crois pas, elle est trop sur terre pour s'approcher de la signification de ça, et puis ça ne la rassurerait sûrement pas. Elle veut voir P'pa comme tous les pères, qui va au travail et rentre le soir pour papoter autour de la télé. Elle ne veut pas d'un fou angoissé qui écrit des choses incompréhensibles et qui vit de médicaments dans une chambre d'hôpital. Mais il y a quelque chose à faire, je sais, avec toutes ces feuilles et ces pensées gravées sur le papier. Parce que tous ces textes, ces poèmes et ces mots posés par P'pa ont sûrement un sens. Il n'a pas pu écrire ça dans le vide, ni pour le vide. Et ces textes prouvent qu'il est normal, qu'il existe, qu'il est capable d'être autre chose qu'un légume drogué sur un lit et peut-être que ça peut aider à mieux le connaître et donc à mieux le soigner. Je ne sais pas ce qui me décide ou me pousse, ou qui me susurre au fond de l'oreille de penser à ça, mais dès cet instant où je découvre l'incroyable collection de textes de P'pa, je suis convaincu qu'il faut les porter à la docteure Lavergne. Lui montrer de quoi P'pa est capable, lui montrer de quoi est fait son cerveau, parce que tous ces textes qui sortent de sa tête, il les a réfléchis, construits et écrits. Il faut lui faire comprendre que P'pa est intelligent, que son esprit fonctionne normalement et qu'il est sûrement un artiste. Je comprends alors que ce qui est dur, quand on est un artiste, c'est de savoir qu'il y a toujours la possibilité d'être un artiste raté. Et le seul remède pour ça, c'est la joie, la confiance, y croire fermement et avancer sans se retourner. Même essayer de faire semblant, par tous les moyens. Je commence à faire le lien entre aujourd'hui et hier, il y a presque deux ans, quand on est arrivés au Québec. Depuis tout ce temps, P'pa se cachait. Il voulait cacher son art au fond du trou, l'enterrer, l'oublier, s'en séparer, divorcer. Car c'est dur de vivre avec l'art, c'est un compagnonnage difficile, je crois.

Ce n'est même pas la peine d'en parler à Mère, ni à Bibi, ni à personne, de cette idée de montrer les textes aux gens de l'hôpital, parce qu'ils ne comprendraient pas, ne le verraient pas comme je le pense et se diraient même que ça pourrait aggraver son cas. Parce que poésie peut rimer avec folie et qu'on pourrait être complètement convaincu que P'pa est fou. Mais je suis sûr que Triple J et la docteure Lavergne me comprendront. Et j'ai lu ses textes, j'ai lu entre les lignes et même si je n'ai pas tout compris parce que mon cerveau n'est pas encore prêt à tout, je sais que ses mots et ses maux sont un mélange de passion et de raison, et comme il le dit, gribouillé dans une bulle, sur une des feuilles de la mallette : « ma folie est philopoétique ».

Triple J me dit que ça fait huit ans qu'il est à Montréal, qu'il est venu directement d'Haïti avec sa femme et sa fille, et que la moitié de leur famille a disparu dans le tremblement de terre de 2010. D'ailleurs, Triple J est un vrai docteur, comme docteure Lavergne, mais quand il est arrivé ici, il n'a pas pu pratiquer parce que ses diplômes ne sont pas reconnus, alors il a passé très vite un diplôme d'infirmier en santé mentale et depuis, il est infirmier. En attendant de pouvoir redevenir docteur. Il dit qu'il travaille fort pour ça. Aussitôt après le tremblement de terre de 2010, il est parti passer deux mois en mission humanitaire, à ses frais, pour secourir les populations là-bas. Chez lui, il est redevenu docteur pendant deux mois et tout le monde le sollicitait. Ici, il est l'infirmier Triple J.

Avec mon paquet de feuilles dans mon sac à dos, Triple J m'amène dans le bureau de la docteure Lavergne et me présente à elle comme celui qui fera revenir Abdou Gueye à lui et chez lui. La docteure Lavergne me regarde en fronçant les sourcils, puis elle esquisse un sourire bêta, comme celui de l'éducatrice qui veut s'adresser au petit avec des mots de grands.

— Ah bon ? Alors comme ça, tu as des choses à nous montrer ? Des choses qui appartiennent à ton père et qui pourraient nous aider ?

— Oui... Euh enfin, vous aider à mieux le connaître et comme ça, à mieux le soigner... Juste comme il en aura besoin.

— Ah ! C'est intéressant. Parce que tu trouves qu'on ne le soigne pas bien ?

— Si, enfin, c'est pas ça... C'est que P'pa... Il n'est pas comme tout le monde.

— Mais personne n'est comme tout le monde. Chaque personne est unique.

— Je veux dire, il est... Les Québécois sont comme les Québécois et pour soigner leur mental, c'est mieux d'être Québécois, non ?

— Ahhh... Mais il est fin, ce petit. Tu veux parler d'ethnopsychiatrie ?

— De... De quoi ? Non... Je ne voulais pas dire ça.

Alors là, les deux se mettent à rire et Triple J me tape dans la main, ce qui a pour effet de faire redevenir sérieuse la docteure Lavergne.

— Que voulais-tu dire, alors ?

Je fouille nerveusement dans mon sac parce que je ne sais pas, finalement, si c'est la bonne solution de montrer ces textes et de dévoiler la pensée de P'pa, parce que j'ai l'impression que la docteure Lavergne est un docteur comme un autre, qui applique la médecine qu'on lui a apprise et qui veut que les choses correspondent, qu'il y ait des liens à faire, que tout soit clair, carré et bien expliqué. Je cafouille avec mes feuilles, les poèmes de P'pa et les pensées qui me traversent, et je ne sais plus quoi faire. C'est Triple J qui me vient en aide et prend la parole.

— C'est que Souleye pense que son père est un artiste. Et que... Qu'il a besoin d'être traité comme tel. En plus d'être un immigrant.

— Oui, je conçois bien ça. Il y a dans nos protocoles des approches destinées aux communautés culturelles et bien sûr, Jacques, je ne vous apprends rien, nous les appliquons au quotidien, avec les intervenants que vous connaissez.

— Oui, tout à fait, Docteure... Mais...

— Mais quoi ? Vous voulez lire ces feuilles ? Allez-y, je vous donne carte blanche et vous me ferez un rapport, nous le transmettrons à Suzanne et au docteur Meflah, et ils y verront peut-être des éléments à considérer dans le traitement ethno de monsieur Gueye. Non ?

— Euh... Oui !

— C'est tout ?

— Oui ! Merci ! Merci !

— Souleye, passe-moi tout ça... Tu vas me laisser ces feuilles et je t'en donnerai très vite des nouvelles.

— En tout cas, Souleye, tu es très brave, me lance la docteure Lavergne alors que je m'apprête à sortir du bureau, j'envie tes parents d'avoir un garçon comme toi.

— Merci.

Je voudrais lui dire que mes parents ne méritent que ce qu'ils ont planté et cultivé, et je ne suis pas particulièrement brave, je ne suis que le fruit de leur arbre. Mais je ne dis plus rien, car je sens qu'il est difficile de parler avec les docteurs quand on ne pense pas comme eux ou qu'on pense comme un animiste. Et je crois maintenant, avec toutes nos histoires de famille, de mémoire et de déracinement, et toutes les questions que je me pose sans avoir de réponses, je crois que je suis parti de rien et que je suis devenu animiste. Comme P'pa.

Ce n'est pas que Mère a décidé d'abandonner P'pa. C'est vraiment qu'il lui manque du temps entre son travail, ses enfants et sa vie qu'elle essaie de rendre jolie, malgré les couches de passé. Elle n'a que le dimanche pour aller lui rendre visite. Et comme les visites ne sont vraiment pas gaies et qu'elle revient toujours démoralisée, elle préfère les espacer, elle attend toujours des améliorations, qu'on l'appelle au téléphone, qu'on lui dise que ça va mieux et qu'il sort demain, mais ce demain est long à venir et le traitement de P'pa est profond. Ils veulent peut-être s'assurer qu'il ne rechutera pas, ou qu'il n'apportera pas de danger, car c'est sûr que le rapport de la police l'avait qualifié de dangereux pour lui et pour sa famille. Ça n'a pas aidé son cas et personne ne veut prendre de risque.

Je voudrais emmener Lila, mais je suis trop petit pour ça, trop jeune, pas assez responsable selon la loi. Parce que Lila réclame P'pa parfois et je suis obligé de lui gratter la tête pour qu'elle pense à autre chose. Alors elle se blottit dans mes bras et le mieux, ce qui me fait le plus de sensations, c'est quand elle s'endort dans mes bras.

C'est vrai qu'on ne fait plus de visites familiales. Chacun va à l'hôpital quand il peut, quand il veut, et Bibi n'y va plus du tout. C'est pas non plus que P'pa ne lui manque pas, car je connais Bibi, je pense juste qu'il ne supporte pas de le voir comme ça et qu'il préfère fuir, se réfugier dans la musique, le hockey, le basket et ses chums. Parce que moi, je n'ai rien d'autre que l'espoir de voir P'pa nous rejoindre et la pensée de Charlotte qui m'obsède. Alors entre ces deux espaces-là de ma tête, je fais des va-et-vient, même si j'essaie de rester concentré.

Bibi, ces derniers temps, a commencé à changer. Mère dit que c'est l'adolescence qui veut ça, même si elle dit aussi souvent que Bibi lui sort par le nez, parce qu'il est mou et arrogant à la fois. C'est l'adolescence, on change sans s'en rendre compte. En quelques mois, il est passé de Bibi mon frère à Bibi l'étranger. Il ne se ressemble plus, ni de la voix, ni du regard, ni de l'odeur. Plus rien ne compte pour lui dans la maison, seulement son bon plaisir et l'affection qu'il porte au basket. Il a d'ailleurs abandonné toute sa passion pour la Nintendo DS. Il m'a légué ses quelques jeux et a été revendre sa DS au Comptant.com sur Jean-Talon, il en a tiré un petit trente-cinq dollars. Avec ça plus ses économies, il s'est acheté une paire de souliers Adidas noires, montantes, avec logo et semelles jaunes. Alors que moi je rêve d'une Xbox.

Bibi n'est plus lui-même. Mère dit d'ailleurs que son bébé lui glisse des mains, qu'il est comme un savon fou sous la douche. Et de douche, lui qui n'en prenait pas, ou alors il fallait que Mère se batte avec lui, maintenant il en prend deux fois plutôt qu'une. Il est devenu coquet, il se met du déodorant que Mère lui achète. Alors, j'ai essayé d'enquêter pour comprendre ce phénomène, l'adolescence, parce que moi aussi, je vais y arriver, à ce niveau-là, et il faudrait que je sache à quoi m'attendre, peut-être pour éviter les pièges ou mieux profiter de ce passage. L'adolescence ! Ce mot-là, les adultes en parlent comme si c'était une maladie. D'ailleurs, j'ai toujours cru, avant d'arriver au Québec, que c'était « abdolescence » et qu'il fallait des abdominaux formidables pour passer cette période, pour mieux devenir adulte. L'*abdolescence*, je voyais ça comme une période de grande gymnastique, où le sport est de s'arracher à l'enfance avec les muscles du ventre. Je voyais ça comme les jeux olympiques, comme quelque chose de grandiose et de terrifiant où chacun choisit son sport et fait de son mieux pour passer la ligne. L'arrivée, c'est l'adulte. Évidemment, je sais qu'après l'adulte, il y a le vieux ou la vieille, et après, il y a la mort. Et la mort, c'est peut-être la récompense, alors, la médaille d'or et le podium pour tous. Après, on rentre chez soi, ailleurs. C'est la vie. Mais avec l'adolescence, je sais une chose, je veux éviter les boutons. Parce que Bibi, il lui en pousse sur le nez et sur le front et je dis que c'est dégueulasse. Ce n'est pas de sa faute, mais c'est quand même dégueulasse. Et même Lila le dit, elle ne veut plus lui faire de becs.

Pour enquêter, j'ai suivi Bibi au parc l'autre jour. Il ne veut plus que je le suive maintenant. Maison des jeunes, parc, arénas, terrain de basket : il me fuit. Quand il est à la maison, ça va encore, mais dehors, on est des étrangers l'un pour l'autre, ou plutôt moi pour lui. L'autre jour aussi, il ne voulait pas que je l'accompagne, alors j'ai fait semblant de faire demi-tour et je suis repassé par la 14ᵉ avenue, remonté derrière l'école JFP, tourné vers la 17ᵉ et revenu par L.-O. David, j'ai contourné la piscine et je suis arrivé au parc par l'autre côté. D'abord, j'ai vu une chose que je savais mais que je n'avais pas vue. Mais aussi autre chose que je ne savais pas et que j'aurais préféré ne pas voir, parce que je ne sais pas quoi faire de ça maintenant. D'abord, Bibi, il a une copine (ici on dit « blonde »), mais c'est très fort, là, parce qu'ils s'embrassent sur la bouche. Au Sénégal, il n'aurait jamais fait ça, comme ça, en plein air. Ça me fait penser souvent à la question : qu'est-ce qu'on serait aujourd'hui si on n'était pas venus ici, au Québec ? Bien sûr, on serait nous, mais différents, on serait restés avec notre savoir de là-bas, avec nos idées de là-bas, avec la vie de là-bas, et Bibi n'aurait alors sûrement pas porté des Adidas jaunes et noires aujourd'hui et n'aurait pas non plus embrassé cette fille, là sur le banc, presque devant moi et devant n'importe qui. Le chemin qu'on prend aujourd'hui, le plus petit choix qu'on fait, c'est ça qui fait ce qu'on sera dans une heure, dans un mois ou dix ans plus tard. Mais j'y pense, ce choix, ce n'est pas nous qui l'avons fait, je veux dire ni Bibi, ni moi, ni encore moins Lila. Ce choix, c'est qui qui l'a fait ? P'pa, Mère, tous les deux ? Ou quelqu'un d'autre ? Une force au-dessus ? Une force en dessous ? C'est peut-être pour ça que P'pa creusait ? Pour aller voir cette force, pour lui demander des comptes et qu'elle lui réponde que... Quoi ? Qu'elle s'était trompée ? Qu'elle nous avait mal conseillés ? Bon, je ne sais pas si elle nous a mal conseillés. Je ne sais pas si le centre de la terre est habité. Ni même le ciel. Le passé est le passé, il n'a qu'à rester où il est. Et moi, je trouve qu'ici, aujourd'hui, ça ne va pas si mal, même si évidemment je préférerais avoir P'pa à la maison.

Alors ça, la blonde, je le savais, car Bibi marche souvent main dans la main avec une fille de son école, et dès qu'il me voit, ou qu'il passe près de la maison, il lâche la main et fait comme si de rien n'était. Mais ce que je ne savais pas, c'est que Bibi fume des cigarettes. Et ça, je ne suis pas sûr que ce soit une bonne idée. Parce que la cigarette, c'est la mort. Bien sûr, je ne le dirai pas à Mère. Mais je suis bien embêté et si je lui dis d'arrêter tout de suite, il va me répondre que ce n'est pas mon problème. Mère n'aimerait pas ça. Et P'pa non plus, même si je sais qu'il fumait avant, parce qu'il a arrêté trois ans avant qu'on quitte le Sénégal. P'pa nous disait toujours qu'il avait arrêté de fumer en consultant une vieille femme du quartier Gueule Tapée à Dakar. Je ne sais pas si elle est toujours vivante et si elle travaille encore, mais elle faisait une recette à base de sept noix de cola, six rouges et une blanche, mijotées dans un liquide au fond d'une calebasse. Dès que tu croques la dernière cola, la blanche, c'est fini, tu ne fumeras plus. L'odeur du tabac te dégoûte et si tu t'aventures à refumer, prépare-toi à vomir ta bile. Le comble, c'est qu'avec cette recette, elle ne faisait même pas fortune, cette vieille dame, car elle disait que si elle faisait payer les gens, son don disparaîtrait et sa recette ne marcherait plus. Il fallait lui apporter en contrepartie des choses achetées au marché, des feuilles de bissap, du beurre de karité ou encore un poulet. Si elle avait pu vendre ses services et venir présenter sa recette aux Canadiens, elle serait devenue très riche, je crois.

Charlotte aussi disait qu'elle détestait la cigarette, et surtout la cigarette froide. Au début, je ne comprenais pas ce que ça voulait dire, cigarette froide, puisque pour la fumer, il faut l'allumer et alors elle devient chaude. Je pensais que sa mère fumait des cigarettes froides, sorties du frigo, mais je ne comprenais pas comment. En fait, c'est que Denise, pour faire des économies, fumait les cigarettes en deux ou trois fois. Elle en allumait une, elle fumait un peu, puis elle l'éteignait doucement, la posait quelque part, avant de la reprendre et de la rallumer plus tard. Il y avait des bouts de cigarettes qui traînaient de la cuisine au salon et Charlotte n'avait pas intérêt à les jeter, car alors Denise faisait une crise. Ce sont ces morceaux-là, éparpillés dans la maison, que Charlotte appelait les cigarettes froides.

Donc Bibi s'est mis à fumer et je ne sais pas si c'est pour incarner ou si c'est sa nouvelle blonde qui l'y a poussé, parce que c'est toujours un mystère comment on peut se mettre de la fumée dans les poumons pour la recracher ensuite. C'est comme si j'avalais du coca et que je le revomissais après, je ne comprends pas bien. En tout cas, j'espère qu'il ne va pas se mettre aussi à boire de l'alcool ou à fumer du pot, parce que ça, familialement, ça ne passerait pas du tout du côté de Mère. Mère dit que les jeunes Québécois ne sont pas forcément un modèle à suivre parce qu'ils font très vite des choses qui sont normalement réservées aux adultes. En plus que l'alcool fait trop de dégâts ; il fallait voir quand on habitait du côté de la rue Masson, il y avait pas mal d'alcooliques qui se perdaient dans les rues et disaient des choses incompréhensibles en chantant ou en criant. « Quand t'es soûl, c'est comme si ta langue devient un oiseau fou dans une cage », c'est Mère qui dit ça, tu ne contrôles plus rien et tes défauts cachés font surface. Je ne sais vraiment pas si j'ai envie un jour de voir apparaître mes défauts cachés. Ils n'ont qu'à rester cachés, personne n'a besoin de les voir.

La bonne nouvelle, c'est Triple J qui me l'annonce, après ma visite de cet après-midi, en me disant que P'pa a été retenu pour des séances d'art-thérapie. Je ne saisis pas bien le sens de ça, mais je crois comprendre que P'pa va être en compagnie d'autres malades, peut-être des fous aussi, et qu'ils vont passer du temps à faire de l'art avec des médecins qui sont spécialisés dans cette technique. Peut-être d'anciens artistes qui sont devenus docteurs. Ou des docteurs qui pensent comme des artistes. Donc ils vont se retrouver peut-être deux à trois fois par semaine dans un grand local où ils seront encadrés et pourront faire ce qu'ils veulent pourvu que ce soit de l'art.

— Même de la musique ?

— Euh... Non, on n'a pas encore ce service, mais ça existe. Dans le cas de ton père, c'est un atelier de peinture et d'écriture.

— D'écriture aussi ?

— Oui et c'est grâce aux textes que tu nous as remis. Tu vois, tu es le docteur numéro 1 pour ton père.

— Et il commence quand ?

— Il a commencé déjà, et on dirait qu'il aime ça.

Ce qui me fait dire qu'il va beaucoup mieux et que... Je ne voudrais pas trop m'avancer, mais attends-toi à le voir bientôt rentrer à la maison.

Là, je reste sans voix parce que je ne peux pas m'attendre à ça, parce que je crois que quand on s'attend trop à quelque chose, ce quelque chose ne vient pas. Je préfère même ne pas répondre, ou alors je réponds à côté.

— Ils sont nombreux dans le groupe ?

— Ça dépend, ils peuvent être dix ou douze, mais ils ne viennent pas toujours, des fois ils refusent d'y aller. Et l'art-thérapeute se retrouve avec trois ou quatre patients.

— J'aimerais bien... Euh tu crois que... Que je pourrais assister à l'atelier un jour ? Moi aussi, j'aime bien dessiner et écrire.

— Ah ! Souleye, ça je ne sais pas. Je dois en parler à la docteure et c'est sûr qu'il faudra l'accord de ta mère. Et il faudra aussi l'avis de l'art-thérapeute qui s'occupe du groupe dans lequel est ton père. Là vraiment, je ne peux rien te garantir.

— Tu viens pas de dire que je suis le docteur numéro 1 de mon père ? C'est moi qui décide, non ?

Là, Triple J part dans un rire à grande voix qui résonne dans tout le couloir de l'hôpital. Et comme d'habitude, il me raccompagne jusqu'à la grande porte.

Dehors, c'est toujours le ciel bleu sans nuages et une lumière qui rend les arbres vivants, animés, joyeux. Je ne veux même pas faire retourner ma pensée sur ce que Triple J m'a dit tout à l'heure. Une bonne nouvelle ? Je ne sais pas. P'pa va rentrer ? Je ne sais pas. On va enfin pouvoir commencer notre nouvelle vie ici et trouver notre place ? Je ne sais pas. Ce qui viendra, viendra. Ce qui ne viendra pas n'a qu'à rester à sa place. Je préfère penser au ciel, aux arbres et au vent, je préfère regarder devant moi ou très très loin derrière moi, quand je n'existais pas, ni même les ancêtres de mes ancêtres, et imaginer Montréal quand il n'y avait personne, ni les Français, ni les Anglais, ni même les Amérindiens. Personne et juste la nature et le ciel au-dessus. J'aime imaginer toute la Terre comme ça. Je me dis que si j'étais envoyé dans ce temps-là, peut-être que j'étoufferais à cause de la pureté de l'air. Je tomberais malade tout de suite et le premier maringouin qui me piquerait me tuerait aussitôt. On est sûrement plus fragiles qu'avant. C'est sûr, aussi, que si je pouvais voir ce paysage sans personne, dans un temps où toute la nature autour de Montréal était encore vierge, alors ça voudrait dire qu'il y aurait quelqu'un qui regarde, que ce quelqu'un, ce serait moi et donc qu'il y aurait quelqu'un. Je me mets à la place du premier homme qui a vu ce paysage du mont Royal au bord du grand fleuve. Dès ce moment-là, ce paysage n'était plus sans personne. Personne ne peut voir un paysage sans personne. On peut juste l'imaginer. Et cette image me fait du bien, elle m'amène là vers où je peux me retourner sans me faire mal. J'aime voir les choses sans les choses, j'aime voir ce qui ne peut pas se voir, j'aime penser et réfléchir. Je ne sais pas pourquoi, j'essaie de comprendre comment mon cerveau va chercher cette imagination, parce que c'est quelque chose que je garde pour moi. Je ne parle à personne de ce qui se passe dans ma tête, même si parfois j'en ai peur. Trop penser, est-ce que c'est une maladie ? Et, surtout depuis que P'pa est interné, je me dis que les pensées sont peut-être des héritages. Je voudrais hériter de tout de P'pa, sauf de la folie qui l'habite aujourd'hui. Alors je me force à revenir au Montréal d'aujourd'hui, et d'ailleurs voici le bus 44 qui arrive. C'est un bus articulé tout neuf, c'est une belle occasion de faire un saut dans le temps. Parce que je crois que de tous les rêves impossibles, celui dont je rêve le plus, c'est de voyager dans le temps. Passer d'une histoire à une autre, sauter de génération en génération, aller voir P'pa quand il était petit, jouer aux billes avec lui, puis aller voir son père à P'pa et le père de mon grand-père, rendre visite comme ça à chacun de mes ancêtres. Leur dire comment est le monde d'aujourd'hui et que tout va bien, ou en tout cas que ç'a l'air pas pire. Je leur dirais que maintenant, on a amené un bout de la famille vivre au Canada, et que de siècle en siècle, si tout se passe bien, on pourrait aussi se retrouver dans d'autres pays, et que comme ça, le monde n'aurait plus de secret pour nous.

Le chauffeur du bus 44 est une chauffeuse, je ne sais pas si on dit comme ça. C'est une femme arabe, du moins je crois, parce qu'elle porte un voile. Je lui dis bonjour et elle me fait un sourire quand je passe ma carte OPUS. Avec tout ce que j'entends sur le voile ces temps-ci, je me dis que ça m'est égal, parce que voile ou pas voile, c'est le sourire qui compte.

MÉTRO SAINT-MICHEL

C'est bientôt ma troisième rentrée des classes ici. Je
ne me rends pas bien compte, mais tout doucement, je
marche dans les pas de tous les habitants de Montréal,
je suis en train de me fondre tranquillement dans cette
nouvelle vie et j'essaie de regarder droit devant. C'est
sûr que ça pourrait aller mieux, mais comme dit Mère,
« il ne faut pas se plaindre ».

Quand je repense à Charlotte, je me demande ce
qu'elle devient, où elle habite. Ça fait près de deux mois
qu'on a déménagé, deux mois qu'on s'est perdus de vue,
et que je n'ai pas revu l'oncle Henri non plus. Charlotte
est sûrement dans sa famille d'accueil, elle est peut-être
bien installée maintenant, elle a sa chambre avec des
rideaux propres, son petit bureau blanc, un lit fleuri et
une table de chevet. Je pense souvent à elle, mais je me
dis que je ferais mieux de ne plus y penser.

En prenant le bus ou le métro quand je vais rendre
visite à P'pa, je lis parfois le journal Métro. Et j'ai vu que
le journal propose d'écrire des messages à des gens et
que ces gens-là peuvent répondre s'ils lisent les messages. Ça s'appelle Métro Flirt. Alors, je ne sais pas ce
que je dois faire. Parce que si j'écris à Charlotte dans

ce journal, les gens vont penser que je flirte avec elle. Alors que je veux juste savoir où elle est et si tout va bien et si elle est un peu plus heureuse qu'avant. J'ai pensé à un message, mais il ne faudrait pas qu'on sache que c'est moi. Mais si on ne sait pas que c'est moi, comment Charlotte pourra savoir que c'est moi ? Alors je me mords la queue comme un serpent, parce que je ne vois pas d'autres moyens. À part l'oublier complètement.

Ou alors je pourrais écrire : *Madame Papillon, je suis le soleil qui te regarde dans les yeux. Tu es partie quand j'étais au chalet et on ne s'est pas revus depuis. Comment vas-tu ?* Et je ne signerais pas. Là, personne ne pourrait me reconnaître. Et elle, elle pourrait se reconnaître et me reconnaître. Mais il faudrait qu'elle lise le journal ce jour-là. Et qu'elle ait envie de répondre. Et puis, c'est comme le tabac ou l'alcool, je suis mineur, je ne sais pas si j'ai le droit de passer un message dans Métro Flirt. Ça fait beaucoup d'obstacles.

D'abord, c'est toujours toute une vie d'obstacles et Charlotte, elle, c'est la fille qui a eu le plus d'obstacles que je connaisse. Et si j'ai bien compris, elle est réussie, la vie, quand tu les franchis un à un, tous ces obstacles, et que tu arrives là où tu veux aller. Donc la première chose, c'est de savoir où tu veux aller.

Mère dit qu'elle serait fière de nous si on pouvait faire de bonnes études. Elle rêverait que Bibi soit diplomate et que moi je sois ingénieur. Lila, sûrement qu'elle sera chanteuse à cause de sa voix, même si elle dit aujourd'hui qu'elle veut être coiffeuse. Bibi, même s'il incarne avec son adolescence, son basket et son hip-hop, il a de bons résultats à l'école. Il a eu les meilleurs résultats de sa classe en univers social, éthique et culture, français, sport et arts plastiques. Il y a qu'en anglais et en espagnol où il doit faire des efforts s'il veut devenir diplomate, car la diplomatie, c'est l'art de savoir parler, alors plus tu sais parler de langues, mieux c'est. Moi, je ne sais pas si je serai ingénieur, il est trop tôt pour moi parce que j'aime beaucoup de choses. Pour l'instant, je veux faire de la plongée sous-marine et du trampoline. Le trampoline, Mère m'a dit qu'elle m'y inscrira pour me remercier de toutes mes visites à l'hôpital et de mon comportement.

Dans notre nouveau quartier de Saint-Michel, je me suis inscrit à la bibliothèque, c'est gratuit. Et heureusement qu'elle est là, la bibliothèque, car quand je ne vais pas à l'hôpital, j'y passe mes journées de vacances, pendant que Bibi est au basket ou à la piscine. La bibliothèque est mon passe-temps, mon passe-passé aussi, je commence à oublier tous mes soucis, et l'image de Charlotte se mélange aux centaines de personnages des mangas que je dévore tous les jours. Sans compter les autres bandes dessinées et tous les livres d'histoire ou de sciences. Ici, j'ai à lire jusqu'à ma mort. Mais je n'irais pas jusque-là. Du moins pas maintenant. J'ai encore plein de choses à découvrir et P'pa à faire sortir.

Triple J fait toujours une très bonne job et il a convaincu
la docteure Lavergne. Aujourd'hui, c'est ma première
visite à l'atelier d'art-thérapie de P'pa. Madame Natacha, l'art-thérapeute, est passée me prendre dans le
couloir où j'attendais avec Triple J et me conduit directement à l'atelier, dans un autre bâtiment de l'hôpital.
Elle a rendez-vous avec son assistante-stagiaire et les
malades, dont P'pa. Je suis inquiet de me retrouver avec
tous ces gens et de voir P'pa au milieu. Je ne sais pas
comment il va réagir.

Mais quand on arrive, les malades ne sont pas
encore là. Il y a la stagiaire en art-thérapie et un autre
infirmier qui dit qu'ils devraient arriver d'une minute
à l'autre. Je me pose sur une chaise, dans le coin cuisine, qui fait partie de la même pièce que l'atelier. Cinq
malades arrivent d'un coup, accompagnés d'une infir-
mière qui les laisse à l'entrée, mais P'pa n'est pas là.
Madame Natacha me dit que tous ne sont pas internés,
certains sont chez eux et continuent à venir suivre
cet atelier, car il leur fait du bien et que ça permet de
bien suivre l'évolution de la guérison. Puis trois autres
arrivent, dont P'pa. Il entre et va s'asseoir directement

sur la chaise du fond, près de la fenêtre. Il ne m'a pas vu. Je les regarde tous et je me dis que de tous, c'est lui qui paraît le moins fou. Madame Natacha va les voir individuellement, mais la plupart ne l'attendent pas, ils sont habitués et commencent à faire leur art.

Dans cet atelier, il y a des feutres partout, des crayons, des pinceaux plantés dans des grands pots de café, des peintures en tube et en bouteille, des rouleaux de grandes feuilles de papier, des cartons, des plaques de plastique transparentes et plein d'autres matériaux qui auraient fait la grande joie de Lila. Tout est bien rangé, classé, ordonné sur des étagères, et les malades viennent se servir et utiliser le matériel qu'ils veulent. Et ça donne des œuvres très spéciales, très différentes les unes des autres. Parce qu'il n'y a pas deux malades qui ont la même folie, et que les talents de chacun sont laissés libres de s'exprimer sans école et sans contrainte. Madame Natacha veille à ce que tout se passe bien et quand tout le monde est assis et calme, elle aussi s'assoit et se met à remplir des papiers. Sa stagiaire reste debout et passe de malade en malade.

P'pa ne m'a toujours pas vu. Il est en bout de table et contrairement à ce que je croyais, il fait aussi de la peinture. Je pensais qu'il ferait plutôt de l'écriture. Quand madame Natacha a fini ses papiers, elle se lève et me propose de l'accompagner pour un tour de la grande table.

Le premier est un fanatique de Céline Dion et toutes ses œuvres sont faites de collages d'images de magazines et de dessins aux feutres de couleur sur des feuilles bleu très clair. Et ses œuvres sont toutes des représentations de Céline Dion, toujours bien habillée et qui sent bon parce qu'elle s'est mise du parfum Céline Dion. Plusieurs Céline Dion peuvent cohabiter dans une même œuvre et il y écrit des bulles ou des légendes comme quoi Céline Dion lui parle et il lui répond. Et dans les bulles d'une de ses œuvres, c'est un dialogue entre eux.

P'pa vient de me voir à l'instant. Il semble assez troublé et ne pas comprendre ma présence ici. C'est sûr que c'est un choc, pourtant Triple J m'a dit qu'il l'avait prévenu. Il reste un instant le regard fixé sur moi et sur madame Natacha. J'ai l'impression qu'il veut me dire quelque chose, mais que ça ne sort pas. Je voudrais aussi aller le voir tout de suite et le serrer fort et lui dire que je suis content de le voir ici, mais je ne pense pas que ce soit une bonne idée devant les autres malades. Et puis madame Natacha ne m'a rien dit dans ce sens. Alors je reste à côté d'elle et on continue notre tournée. Et de toute façon, P'pa a déjà replongé dans sa peinture.

Un autre malade fait des assemblages, des collages de mots et d'images découpés dans des journaux. Et sur l'œuvre qu'il vient de terminer, mais qu'il avait commencée lors d'un atelier précédent, il a mis la planète terre posée sur un arbre sec qui flotte dans un grand ciel bleu. Et il a découpé plein de lettres de journaux pour les coller les unes à côté des autres et former cette phrase : « Donnez-nous de l'oxygène, aidez-nous à trouver où se cache le paradis. » Puis madame Natacha doit répondre au téléphone, alors je me rassois et j'observe.

À côté de P'pa, il y en a un qui a l'air d'avoir très peur. Son visage transpire la peur. Il regarde autour de lui sans cesse avec un air angoissé. Il serre sa tasse de café avec les deux mains, si fort que je crains qu'elle explose. Il y a quelque chose sur la table devant lui qui semble attirer son attention. Il frotte avec son doigt sur cette chose, cette tache, je ne sais pas, je me lève pour mieux voir, mais il n'y a rien, juste la table. Il frotte dessus avec une intensité incroyable, des frottements comme s'il cherchait à mettre le feu. Je me dis qu'il va finir par se brûler. Il reste bien cinq minutes à faire ça, puis il s'arrête. P'pa me regarde l'air de dire : il est fou celui-là, bel et bien fou. Dans son regard à P'pa je peux lire aussi : pas comme moi ! Rassure-toi Souleye, je ne suis pas fou, je suis en déplacement cérébral, en transit vers ma nouvelle vie, vers ma nouvelle voie. Et dans ma tête, je lui réponds : P'pa, je suis heureux d'être avec toi aujourd'hui. Et malgré ton absence, ton silence, je sais que tu es aussi avec moi.

Après son appel et une discussion avec sa stagiaire, madame Natacha revient me trouver.

— Alors, Souleye, que penses-tu de l'atelier d'art-thérapie ?

— Je suis impressionné.

— Tu vois, l'art, ça donne du sens à notre vie. On est dépassés par ce qui nous traverse. Ça les aide beaucoup, leur énergie intérieure est canalisée, leur confiance est renforcée.

— J'ai remarqué que beaucoup font des dessins qui ressemblent à des dessins d'enfants. C'est comme les dessins accrochés au mur dans le couloir du CPE de ma petite sœur.

— C'est vrai ! La plupart, dans cet atelier, c'est comme si leur enfance était encore en eux, qu'elle ne les avait pas quittés, ou qu'ils voulaient la retenir, la prolonger, comme si leur instabilité mentale est seulement liée à leur état adulte et, qu'au fond, ils sont encore des enfants tout à fait normaux.

C'est bizarre. Je me dis que je veux être enfant tant que je suis enfant. Mais dès que je passe à l'âge adulte, alors je veux devenir un vrai adulte. Peut-être aussi que ces gens-là vivent l'enfance qu'ils n'ont pas pu vivre. Ça me fait penser à Charlotte.

— Tu sais, continue madame Natacha, on peut sûrement essayer de trouver beaucoup d'explications à ça, le qui, le comment et le pourquoi de la maladie, mais je crois que beaucoup aiment ça, l'art. Faire de l'art comme ils respirent, comme ils dorment ou comme ils rêvent. Ça doit les libérer de leur état, les laisser souffler et faire sortir d'eux les choses enfouies. Ce qu'ils ne peuvent pas dire, ils le dessinent, ce qu'ils ne peuvent pas comprendre ou expliquer, ils le peignent ou le collent.

Ils sont huit assis autour d'une très grande table, et parmi eux, il y a P'pa. Il me regarde encore, il fait un petit sourire, et je ne sais pas s'il le force ou s'il est naturel ou même troublé, mais ce sourire s'efface tout de suite et laisse place à un regard triste et sombre, qui se repenche vers sa feuille et replonge dans son dessin. Il m'oublie. Je ne crois pas qu'il m'oublie. Peut-être qu'il va un peu mieux. J'ai l'impression. Peut-être qu'il a honte d'être là, devant moi, parmi tous. Je ne sais pas quoi penser. Je l'observe et je les observe tous, pour essayer de comparer P'pa à ces gens-là. Qu'est-ce qui les lie, qu'est-ce qui les rapproche ? Est-ce qu'ils auraient pu se rencontrer un jour, ailleurs qu'ici, dans des circonstances normales? Et je crois qu'ils ne se rencontrent même pas ici. Ils sont seulement côte à côte et ne communiquent pas entre eux. Ils sont là pour l'atelier. Ils sont chacun eux dans eux, impénétrables et couverts d'une bulle imperméable. J'ai envie de demander à madame Natacha pour P'pa, mais je n'ose pas vraiment. Et c'est comme si elle avait lu dans mes pensées, elle me répond.

— Ton père, c'est particulier ! Son trouble, bien que profond, est passager. On se penche sur son cas avec notre équipe et les résultats sont encourageants. Je suis très confiante pour lui. L'art-thérapie lui va très bien. Il paraît qu'il a de très beaux textes ?

— Oui, il aime ça, écrire.

— Et il est très bon en dessin également. Ça te dirait de dessiner, toi aussi ?

— Euh... Je... Oui, je veux bien.

Alors je m'assois, mais pas à côté de P'pa. Juste en face, à l'autre bout de la table. Et je me demande ce qui se passe dans toutes ces têtes, la mécanique, le dérèglement, ce qui fait que la coche est pétée. Et dans la mienne aussi, de tête, qu'est-ce qui se passe ? Qu'est-ce qui est normal et pas normal ? Attention ! Je dois faire attention à ne pas devenir fou. Et P'pa n'est pas fou, d'abord ! Et eux non plus ne sont pas fous ! Ils sont un peu malades, mais ils ont l'air normaux. Juste dans leur bulle. Et c'est comme tout le monde, la bulle, chacun dans soi.

.

Je tiens la feuille blanche que m'a donnée madame Natacha et que je suis censé peindre avec tout le choix des couleurs qu'elle a disposées dans des pots en verre au milieu de la table. Je trempe le pinceau dans le pot de peinture jaune pour peindre un soleil le plus chaud et le plus brillant possible. Et je pose le pinceau jaune sur la feuille blanche.

À ce moment-là, il y a un très grand qui se lève, Vincent, il porte une chemise qui ressemble à un haut de pyjama. Il a les cheveux blancs, très mal peignés, et ne semble pas très vieux, pas plus que P'pa. Il a une grande mèche qui recouvre l'un de ses yeux. Et il s'approche de moi, pose le doigt sur le bord de ma feuille et me dit d'une manière très douce :

— S'il y a une voix qui te dit que tu n'es pas peintre, alors peins ! Et cette voix ne se taira que si tu peins.

Je regarde madame Natacha qui ne paraît pas surprise. Elle sourit. Vincent va se rassoir. Et moi, je reste devant ma feuille blanche tachée d'un rond jaune. Je regarde un instant P'pa, mais lui, il m'a oublié, il est dans sa peinture. Et alors que je me remets à peindre, madame Natacha à son tour s'approche de moi et me dit doucement : « Il a cité Van Gogh. » Je ne comprends pas sur le coup, je continue mon dessin, je fais mon soleil jaune dans ma bulle et je fais un ciel jaune aussi et j'ai envie de tout en jaune, une feuille complètement jaune, parce que c'est quand même ma couleur préférée. Et c'est plus tard, en allant visiter Google que je saurai que Van Gogh s'appelait Vincent, qu'il était un grand peintre hollandais à qui il manquait un bout d'oreille, qu'il avait vécu en France, qu'il était très penché sur le jaune et qu'il avait fini par se suicider, sûrement à cause d'une folie familière qu'il traînait aussi en lui.

Je crois que l'on traîne tous une folie. Petite, qui le restera, ou qui grandira avec le temps. C'est comme la couleur de la peau, la taille des pieds ou la blancheur des dents. Ils varient. La folie en chacun de nous varie en fonction de là où on se trouve, de comment on se trouve, de qui ou d'où on vient. La folie est une graine. Chez certains, elle pousse ; chez d'autres, elle reste graine.

À la fin de la séance, il faut signer les œuvres, les dater et leur donner un nom. Tout le monde fait ça.

J'appelle ma peinture *Chaleur*. P'pa appelle la sienne *Les sept sages*. Elle représente sept personnages dont on ne distingue pas les visages, qui se tiennent droit, vêtus d'un même boubou roux, une tunique que l'on porte au Sénégal, et d'un bonnet noir. Le fond de la peinture est vert-brun. Et sur une partie du tableau, sur ce qui représente la terre où sont posés ces personnages, il est écrit : « Perdre le sens... S'absenter absolument... S'absoudre... Et revenir parmi les sages. Il n'est de dessein que la peinture de la vérité. »

Mon père est un poète. Maintenant, je le sais complètement.

Madame Natacha me passe la main sur la tête, on dirait qu'elle aussi apprécie le contact de ma tête trampoline. Elle me félicite pour mon œuvre jaune et pour mon comportement à l'atelier. Elle dit que P'pa est ici entre bonnes mains. Et elle me propose de revenir un jour, si je le souhaite.

Je sais maintenant que les piqûres de guêpes arrivent toujours sur les visages en larmes. Sur les visages en larmes et sur les cœurs lourds, qui piquent et qui font mal. Parce que P'pa est sorti tout seul de l'hôpital, il s'est enfui et il a disparu.

Alors que Triple J et madame Natacha me disaient ces derniers temps que ça allait mieux, là ça ne va plus du tout. P'pa s'est échappé. P'pa n'est plus dans sa chambre ni nulle part dans les couloirs. Il aurait profité d'un relâchement, d'un flottement, je ne sais pas, et il se serait enfui. Je ne sais pas si on nous cache quelque chose, ni comment c'est arrivé, si c'est vrai, mais je ne veux pas y croire, ni Mère, et Triple J semble très perturbé, car je crois qu'on lui a passé un savon à l'hôpital. Le soir, P'pa était là, dans sa chambre et le matin, il n'y est plus. Volatilisé.

— Mais où peut-il être ? demande Mère qui a laissé son travail ce matin pour venir avec moi à l'hôpital.

— Écoutez, c'est très confus... Nous avons prévenu la police, mais il ne peut pas s'absenter trop longtemps, je veux dire, il a une médication à suivre, c'est très fragile... C'est vrai qu'on sentait du mieux, au jour le jour...

Mais là, je suis inquiet.

— ...

— Vous n'avez pas une idée d'un endroit où il aurait pu aller ?

— Non... Je... Notre ancienne adresse ? répond Mère.

— Oui, c'est vrai, vous avez déménagé. Je vais tout de suite avertir nos agents sur le terrain et ils vont y faire un tour. Sinon, il n'y avait pas un lieu, quelque part où il aimait aller ?

Le trou, j'ai envie de répondre. Mais là je sais bien qu'il ne faut pas intervenir, qu'il faut garder sa langue dans sa poche, et puis je ne crois pas qu'il soit retourné à notre ancienne adresse, et le trou est bouché, il n'y a aucune chance.

— Non je ne vois pas, répond Mère, vous savez, on est arrivés ici sans connaître personne, on ne sortait pas trop faute de moyens, il est tombé malade à peine neuf mois après notre arrivée... Je ne vois pas où il aurait pu aller. Je... Souleye, tu penses quoi ?

— Je ne sais pas... Je... Je vais essayer de le retrouver.

— De le retrouver ? Mais enfin, tu rigoles ? Tu vas prendre quelle direction ? Laissons ces gens faire leur travail... Et nous, prions pour que votre père soit sain et sauf.

Là-dessus, la docteure Lavergne fait son apparition. Elle semble aussi contrariée et son visage se crispe à notre vue.

— Je suis désolée, madame, le service de nuit n'a pas été assuré comme il faut. Une plainte interne est déjà en cours... Mais ne vous inquiétez pas, nous mettons tout en œuvre pour le retrouver.

— Merci !

— Merci de votre compréhension. Mais il y a quand même quelque chose d'étrange : à ce que me disait l'infirmier Jean-Jacques, les textes lui auraient fait comme un électrochoc.

— Les textes ?

— Ben oui ! Les textes que votre fils nous avait déposés.

Le regard de Mère se pose sur moi, ses yeux se froncent, entre colère et étonnement, et je sais que ce n'est pas bien d'avoir agi en secret et je n'ai pas de réponse à donner parce que j'ai fait ça comme si une force me l'avait demandé, parce que je sentais quelque chose et maintenant, voilà que c'est de ma faute. Je ne comprends pas ce qui s'est passé et il faut que ce soit Triple J qui prenne la parole pour expliquer à Mère.

Mère fait des va-et-vient entre les explications et mes yeux que je ne sais pas où mettre. Puis la docteure Lavergne ajoute :

— Car la présence assidue de votre fils à l'hôpital, le principe de l'accompagnement familial, nous avions pris ça comme un tout. C'est ce qui nous a conduit à lui proposer l'art-thérapie. L'art-thérapie, vous étiez au courant, quand même ?

— Oui, c'est moi-même qui ai cosigné les papiers. Mais ces textes... Souleye ?

Je cafouille avec mes explications en lui disant que j'ai pensé que c'était pour son bien.

— Tu as pensé tout seul ?

— Oui... Je... Désolé.

— Et alors quel est le rapport avec le fait que mon mari se soit enfui et... Je ne sais quoi d'autre ?

— Le fait est que l'infirmier, qui comme vous le savez assure un suivi quasi quotidien de votre mari, lui a lu à haute voix quelques textes et semble-t-il que l'effet a été... Assez... Enfin, Jacques, peux-tu expliquer à madame ?

— Oui, les textes sont intéressants, les poèmes très puissants. Nous en avons discuté avec le docteur Meflah, l'ethnopsychiatre. Alors après, je me suis dit que... Je... Je n'aurais pas dû, ce n'est pas dans mes pré-rogatives. Mais voilà. J'en ai lu à haute voix à votre mari, et il était captivé. Il semblait vraiment à l'écoute.

— Et alors ? demande Mère.

— Après la lecture, il s'est levé, un peu chancelant, il a regardé par la fenêtre pendant un long moment. Et alors que je m'apprêtais à ressortir de la chambre, il s'est retourné et m'a répondu qu'il n'aimait pas ces textes, que celui qui avait écrit ça était un imposteur, que ces mots-là, c'était de l'esbroufe... Il a dit « esbroufe », et je ne connaissais même pas le mot.

— Et c'était quand ? demande Mère.

— Hier matin, madame. Et hier soir, ou plutôt dans la nuit, il nous a faussé compagnie.

— Le lien semble presque évident et la coïncidence quasi exclue, ajoute la docteure Lavergne.

— Oui, c'est bizarre.

Mère me regarde, je ne sais pas si c'est pour le tort que j'ai fait ou parce qu'elle pense que moi, j'en sais quelque chose et que j'ai la solution à tout. Je ne me sens pas très fier, mais elle se rapproche et me prend en accolade, en me caressant les cheveux et je sais qu'elle m'aime et qu'elle ne m'en veut pas, et j'ai juste envie de pleurer dans ses bras, mais je me retiens.

Nous quittons Triple J et la docteure Lavergne, qui nous promettent de nous appeler, et disent que Mère ne doit pas oublier de repasser le lendemain pour signer encore tout un tas de papiers et d'autorisations.

En rentrant, Mère ne me pose aucune question. Je sais qu'elle sait. Et elle sait que je sais. Nous savons que P'pa n'est pas fou, qu'il est bien vivant, que s'il est sorti de l'hôpital, c'est pour aller faire un tour pour se dégourdir les jambes. Nous savons que P'pa a écrit ces textes au fond de son trou, au fond du sous-sol, et que, à les écrire, ces textes ont agi comme un pansement, puis, à les entendre de la bouche de Triple J, ils ont agi comme un nouveau pistolet *Taser*. Nous savons au fond de nous que P'pa rentrera un jour à la maison. Un jour. Mais, si on ne le retrouve pas très vite, je sais aussi ce qu'il peut devenir. Si on ne le retrouve pas vite, je sais que chaque jour passé dehors est un risque pour lui. Un risque de rester dans la rue, de devenir lui-même un *boudiouman* et d'être considéré comme un *boudiouman*. Un itinérant. Car c'est le lot des itinérants d'être traités comme des itinérants et de se traiter eux-mêmes comme des itinérants. Ils restent au fond de leur trou en plein jour, devant tout le monde. Ils fuient tout le monde et tout le monde les fuit. Et je sais qu'ils sont tous passés un jour ou l'autre à l'hôpital psychiatrique et que la rue est leur deuxième hôpital. Je ne peux pas voir P'pa en itinérant.

Qui s'occupera d'un Noir, fou et *boudiouman*, qui erre dans les rues de Montréal sans savoir où il va ? Qui prêtera attention à lui ? À moins qu'il fasse une grosse bêtise, personne ne le remarquera. Et quand on le remarquera, ce sera trop tard, ce sera la police, il sera attaché et tout recommencera. Ce n'est pas possible comme ça, je dois m'activer. Je suis condamné à passer les vacances qu'il me reste à courir la ville et à fouiller ses coins et ses recoins, à la recherche de P'pa. Où qu'il soit, car il est quelque part, c'est sûr, je le retrouverai. Je ferai d'abord tous les environs de l'hôpital, puis, heure après heure, jour après jour, j'agrandirai petit à petit mon rayon de recherche. Je sais, c'est difficile, car je regarde sur Google Maps, je mets en mode satellite, et il est là quelque part. Si seulement Google Maps était en direct, en temps réel, je pourrais zoomer et le retrouver. Je me rends compte que le quartier n'est pas très accessible et qu'il y a beaucoup d'autoroutes, de ponts et de bretelles. Mission difficile, impossible, mais j'en ai vu d'autres maintenant et je me débrouillerai. J'inspecterai les ruelles, les rues, les avenues, les stations de métro, les abribus, les parcs, les ponts, je lèverai même les yeux vers le ciel et scruterai chaque nuage. Je fouillerai toute la ville, ses parcs et ses carrefours comme ici et partout autour, car je me dis que P'pa est là quelque part, il déambule, il marche sur un trottoir, il tourne sur une rue, il se cache peut-être lorsqu'il entend une sirène. P'pa est redevenu un citoyen ordinaire, un passant, un piéton de la ville, mais je sens qu'il est seul. Tout seul.

MANGUIER

Ça n'a pas duré. P'pa n'est pas devenu un itinérant.

Il n'avait pas à le devenir, car il l'est déjà, P'pa est un itinérant depuis qu'il est né. Chez lui, c'est ici comme ailleurs et partout. Chez lui, c'est dans sa tête. Ce n'est pas cette ville de Montréal qui va le perdre. Et puis les agents de l'hôpital et les assistantes sociales sont très efficaces. Je ne sais pas s'ils ont diffusé des annonces dans le journal Métro ou à la télévision, mais ils étaient tous à l'affût et ils l'ont retrouvé dès le lendemain matin, sans policiers, sans pistolet électrique, sans fauteuil de contention.

Il faut dire que P'pa était facile à trouver et facile à attraper, parce qu'il n'avait rien à cacher, ni lui-même ni sa folie. P'pa a été retrouvé couché sous le manguier de la serre tropicale du Jardin botanique. Il y a passé la nuit. Une très belle nuit, sûrement, comme à la belle étoile dans son champ du Saloum. Car il y a un climat très doux dans cette serre, maintenu automatiquement. Et personne ne sait comment il s'est rendu là, ni comment il a trompé la vigilance du personnel, surtout dans son accoutrement de fou noir, puisqu'il avait encore ses habits d'hôpital. Mais ils pensent qu'il est entré le soir après la fermeture. Des fruits ont été retrouvés mangés à côté de lui, des papayes, des avocats. Il dormait de son plus profond sommeil quand l'horticultrice en charge d'ouvrir la serre l'a trouvé là, le matin, au pied du manguier, recroquevillé comme un gros bébé.

Triple J me dit que quand il s'est réveillé et qu'il a regardé autour de lui, il y avait quatre ou cinq personnes du service de sécurité du Jardin botanique. Et là, il s'est assis et s'est mis à secouer la tête et à rire doucement, et leur a dit : « Reconduisez-moi à ma chambre. » Il leur a même donné le numéro de la chambre, 711. Et P'pa est rentré à l'hôpital, sans secousses ni cris, je n'ai pas eu besoin de faire un seul mètre à pied pour le retrouver. Je n'ai passé qu'une seule nuit avec un père itinérant. P'pa s'est retrouvé tout seul en quelque sorte, en s'offrant une nuit dans l'hôtel tropical de son choix. Rendu à l'hôpital, il s'est remis tranquillement dans son lit et a demandé qu'on lui apporte de la lecture, beaucoup de lecture, n'importe quoi, ce qui tombe sous la main, parce qu'il a une très grande soif de mots.

Triple J me raconte tout ça, avec soulagement, je pense, parce que je retrouve le Triple J souriant, qui donne de l'espoir quand on le regarde. Et là, son espoir me traverse aussi, de part en part, et me donne envie de lui sauter au cou. Et de l'appeler tonton.

— Tout ça me fait penser qu'il va beaucoup mieux, dit Triple J. Il va rester en observation quelques jours et continuera d'être sous médication le temps que tout s'arrange. Et heureusement, comme il n'y a pas eu de dégâts, le Jardin botanique n'a pas porté plainte. Sinon, on aurait eu droit à la visite des policiers. Et là, qui sait comment ça se serait passé. Mais il en rigole ! Il en rigole, c'est extraordinaire.

P'pa dirait que la folie a ses raisons que la raison ne connaît pas. Oui, P'pa en rigole. Je voudrais bien voir ça. Mais je ne peux pas encore aller le voir dans sa chambre, car ils ont empêché les visites jusqu'à nouvel ordre à cause de sa fugue. Je quitte une nouvelle fois l'hôpital, accompagné du sourire et des encouragements de Triple J.

Je décide de rentrer à pied et de passer par le parc Maisonneuve et le Jardin botanique. Je ne marche pas. Je cours littéralement.

Mère est au travail. P'pa rigole dans sa chambre. Lila est à la garderie. Bibi, quelque part sur un terrain de basket. On est une famille.

.

À pied dans Montréal, ça se fait bien et j'adore traverser les parcs, sans prendre forcément les allées. Un jour aussi, j'aimerais monter tout là-haut, dans la tour du Stade olympique. Je n'ai jamais vu un bâtiment aussi étrange, comme un jeu de construction. Si on avait construit ça au Sénégal, on aurait pris l'architecte pour un fou et on aurait pensé que c'est un gâchis d'argent.

Bon, ici, c'est joli, ils disent que c'est la fierté de Montréal Est. Pour Mère, au Sénégal, il y a d'autres priorités que de faire des monuments gigantesques qui ne servent qu'à la gloire du gouvernement. Il faut faire des hôpitaux, des écoles et former des infirmiers et des professeurs. Mère dit que c'est ça, la priorité, en plus de l'agriculture pour nourrir le pays. Mère rêve de retourner entreprendre de grandes choses dans son pays. Moi, je ne sais pas si je rêve de rester ici au Québec ou de retourner là-bas, au Sénégal. Un peu des deux.

Je viens d'arriver sur l'esplanade du Jardin botanique. Il y a plein de gens qui se promènent, des groupes de familles avec des poussettes et des enfants qui courent partout. Je rêve de me voir ici avec ma famille et avec Lila qui court aussi et fait une crise parce qu'elle veut absolument tremper ses pieds dans la fontaine. Je rêve de plein de choses simples, mais je rêve aussi les yeux ouverts, grands ouverts, parce que je n'en crois pas mes yeux, mais là, devant moi, dans la file qui attend pour payer le billet du Jardin botanique, je vois mal en fait, mais je me frotte bien les yeux et oui, je vois Charlotte. Ce n'est pas possible, ce n'est pas Charlotte ? Il ne peut pas y avoir non plus deux bonheurs qui arrivent en même temps, comme pour dire qu'un bonheur n'arrive jamais seul... Enfin, il faut vérifier et là, je crois bien que c'est Charlotte. De dos, en tout cas, c'est elle. Et qu'est-ce que je vais pouvoir lui dire ? Depuis tout ce temps que je la cherche, j'ai perdu tous mes mots. Bon, on n'a jamais eu besoin de beaucoup se parler pour se dire des choses, alors pourquoi ça changerait ? Mais là, il faut que je dise quelque chose d'intelligent, de pas trop plate. Je reste figé et je me retourne aussi pour ne pas me faire voir, en réfléchissant à la meilleure phrase. Il me faut une phrase simple, comme étonnée, mais pas trop, et pas trop tremblante, non plus. Une phrase qui dirait juste : « Tiens ! Charlotte, ça fait longtemps... Au fait, tu n'habites plus chez toi ? » Non, ça ne va pas, évidemment qu'elle n'habite plus chez elle et moi non plus, d'ailleurs. « Tiens ! Salut Charlotte, tu viens visiter le Jardin botanique ? » Ben oui qu'elle vient visiter le Jardin botanique... Bon, tant pis, j'y vais et je verrai bien aussi sa réaction. Alors je me retourne et m'approche en essayant de ne pas me faire voir. Elle est en compagnie d'autres jeunes et d'adultes, mais j'entends qu'ils parlent une langue étrangère, l'allemand peut-être, ou une autre langue de viking, mais ce n'est pas de l'anglais ni du français. Et finalement Charlotte se retourne. Nos regards se croisent parce qu'elle voit bien que je la fixe des yeux.

Mais ce n'est pas Charlotte. Ce ne sont pas les yeux que je connais. C'est une autre fille, peut-être une autre Charlotte, mais ce n'est pas Charlotte Papillon. Je baisse le regard et continue à marcher. Les fleurs sont belles par ici et tant pis. Si je dois la revoir, je la reverrai un jour. Quand je ne m'y attendrai pas. Je sais que les choses n'arrivent que quand on ne s'y attend pas.

Par contre, j'aime cet endroit et j'aimerais bien revenir ici, avec P'pa, quand il sera complètement guéri. J'aimerais qu'il me montre le manguier de la serre tropicale sous lequel il a dormi.

P'pa sort de l'hôpital un jour de pluie. Un jour de grosse pluie tropicale. Parce qu'ici, la pluie, quand elle tombe fort, ce n'est pas à moitié. Les nuages très noirs dans le ciel, la grosse chaleur et le silence avant que tout éclate, les gouttes immenses comme sorties d'une éponge imbibée, ça me fait beaucoup penser aux orages qu'on avait en hivernage au Sénégal.

Dans le bureau de la docteure Lavergne, P'pa est habillé comme un homme neuf, avec les vêtements que Mère lui a apportés pour sa sortie. Il écoute la docteure qui lui fait un bilan et des recommandations. Surtout pas de surmenage (ici, on dit « *burn-out* »). Puis P'pa sort un stylo de sa chemise, naturellement, comme si ce stylo avait toujours été là. Les papiers de l'hôpital sont signés par lui et par Mère. Je veux aussi signer parce que j'ai mon droit, non ? Je suis le docteur numéro 1, et quand je lui raconte ça, plus tard, Triple J rit aux éclats.

Mère ne semble pas y prêter attention, mais je remarque que P'pa tient dans sa main gauche un sac en plastique gris, dans lequel on dirait qu'il y a des documents. Peut-être ses écrits que Triple J lui a remis ? Ou peut-être d'autres textes encore, des choses à lui qu'il ramène d'on ne sait où ? Du fond de son trou ou du fond de son cerveau. Lui seul sait où il était tout ce temps-là.

À la sortie de l'hôpital, Triple J et P'pa se font une accolade comme deux vieux frères, en se promettant de se revoir. Et moi aussi, je lui promets de repasser le voir ici. Si je suis le docteur numéro 1, Triple J est le champion du monde des infirmiers et il mérite une médaille et même de devenir docteur québécois.

Les derniers jours que P'pa a passé en observation à l'hôpital lui ont donné des forces, il mangeait comme trois hommes et Triple J me dit que c'est pour ça qu'ils ne veulent plus de lui à l'hôpital, il coûte trop cher en viande rouge. Il a bonne mine, je trouve, mais il a pris des cheveux blancs sur les côtés, qui ne partiront plus. Mère dit que les cheveux blancs viennent avec les soucis. Ça me fait penser à la mère de Charlotte, Denise, qui n'avait pourtant pas un seul cheveu blanc. Ses soucis devaient sortir autement. Et du coup, je repense à Charlotte Papillon. Je ne veux pas que son souvenir s'envole.

Tous les trois dans le taxi, on s'en va rejoindre Bibi et Lila qui nous attendent à la maison. P'pa va découvrir sa nouvelle chambre, que Lila a décorée avec plein de cœurs rouges et roses qu'elle a découpés toute la soirée d'hier. Sur une grande feuille blanche qu'elle a posée sur le lit, elle m'a demandé d'écrire *Bienvenue papa, je t'aime*. J'espère qu'il va aimer sa nouvelle maison et son nouveau quartier.

Je ne sais pas si P'pa va devenir con un jour et s'il espère vraiment le devenir. Je ne crois pas. Et moi, il faut que j'y réfléchisse encore. Mais je me dis que s'il y a quelque chose que P'pa n'a pas raté, c'est sa famille. Tout le monde peut faire une famille. Mais tout le monde ne réussit pas forcément sa famille. D'ailleurs, tout réussir, c'est impossible. Réussir sa vie de famille, réussir sa vie de travail, réussir sa vie d'amis, sa vie sentimentale, sa vie sportive, sa vie d'artiste, sa vie d'immigré, sa vie tout court, qui bouge et qui respire, ça fait beaucoup de vies à réussir, ce n'est pas simple. Rien n'est simple, mais on peut toujours essayer. En plus de sa famille, je sais que P'pa est capable de réussir autre chose. Quelque chose qui lui ressemble plus, qui vient vraiment de lui, pas quelque chose qu'il se force à faire. Il est à la moitié de sa vie, je crois. En oubliant les misères, il peut encore vivre mille et une autres vies, du moment qu'il en réussit une, il sera satisfait. Et nous aussi.

Je suis seul dans la chambre avec P'pa et de derrière mon dos, je fais apparaître le jeu d'échecs que j'avais acheté dans une vente de garage, spécialement pour sa sortie de l'hôpital.

— Woah ! Souleye ! Merci ! Là, tu ne pouvais pas me faire plus plaisir.

Une bonne tape dans les mains et, ni une ni deux, P'pa me propose une partie. Je ne lui dis pas que cette partie, je l'attendais depuis si longtemps, et que personne dans la maison ne voulait jouer avec moi, à tel point que je croyais que je finirais par oublier les règles.

Alors que les pièces du jeu s'étalent de case en case, puis disparaissent au fil de la partie, j'observe P'pa. Je regarde cet homme, ses ongles, ses mains, sa peau, son corps qui est là devant, ses gestes lents, doux et posés, et j'ai envie de remercier la vie. Parce que je le vois comme il a toujours été, et je me dis que j'ai bel et bien retrouvé mon père. Et si je suis en train de gagner cette partie, ce n'est pas que je suis devenu meilleur que lui, c'est peut-être seulement que ça prend du temps de se remettre en marche, de se réintégrer, d'être à nouveau soi-meme. P'pa est comme un migrant qui vient juste d'arriver. Il n'a plus ses repères.

Puis je gagne, sans qu'il m'ait laissé gagner. Il me félicite et le voilà qui range avec soin une à une les pièces dans la boîte. Je voudrais le serrer dans mes bras. Parce que P'pa, je sais que tu n'y es pour rien, que ce n'est pas de ta faute, que tu t'en veux de ces tracas que nous avons vécus, Mère et nous. Mais ne t'en fais pas, nous avons réussi à reboucher ce trou.

J'hésite un long moment.

— P'pa, c'était pourquoi, ce trou ?

— Ce trou ?

P'pa secoue la tête, l'air grave et amusé, en essayant son petit sourire d'avant.

— Ce trou, c'est... C'était pour un livre.

— Un livre ?

— Oui... Un jour, tu sais, au Sénégal, alors que je me posais des questions sur ma vie, sur mes mille métiers et mes mille misères, je suis allé voir un sage, un vieil homme.

— Un marabout ?

— On peut l'appeler comme ça. Il m'a fait asseoir sur une natte en face de lui, il m'a regardé assez long-temps sans rien me dire, en marmonnant des mots et en égrenant un chapelet. Puis, au bout de longues minutes, il m'a annoncé : « Pour avoir de l'eau, il faut creuser un puits. Toujours le même puits. Si tu creuses dix mètres, que tu ne trouves pas d'eau, que tu te décourages et décides de creuser ailleurs, alors tu risques de perdre ton temps à faire des trous partout. Si tu veux espérer trouver l'eau, il faut creuser un seul et même trou. »

P'pa se penche, passe sa main sous le lit et en ressort la pochette en plastique gris qu'il avait à sa sortie de l'hôpital. Il en sort un gros paquet de feuilles écrites à la main, mises en tas les unes sur les autres. Il me tend tout le paquet. Sur la première des feuilles, en grosses lettres noires, il y a écrit ce titre : *Une cinquième saison.*

— Ça pourrait faire un livre, me dit-il, et ce livre serait comme l'eau au fond du puits.

Je reste sans réponse, à regarder ce tas de feuilles, ce manuscrit posé sur le lit, et j'essaie de comprendre comment un livre pourrait être l'eau au fond d'un puits. P'pa s'est levé depuis un moment, il m'a laissé seul dans la chambre sur le lit avec ces pages étalées, et je l'entends maintenant rire avec Lila, cette hurleuse chatouilleuse tellement heureuse d'avoir retrouvé son père.

Je me dis que P'pa a traversé les quatre saisons dans son sous-sol et qu'il s'est imaginé un temps où il en sortirait pour enfin nous rejoindre dans cette nouvelle vie. Parce qu'on a pris de l'avance sur lui, et il n'a plus le choix que de prendre notre chemin et d'aller bien droit devant pour nous rattraper. Et ce chemin, ce serait cette cinquième saison, la saison du Québec, la saison où enfin on pourrait profiter en famille de la neige, des ruelles, des ventes de garage, des piscines et des bibliothèques, une saison aussi où je retrouverais Charlotte Papillon, sa sloche et sa musique, où je pourrais la fréquenter sans me cacher. Un temps où on n'aurait plus besoin de se retourner parce que tout se passerait ici, devant nous, pour le meilleur.

REMERCIEMENTS

Nafy, Djibril, Jules et Djelika pour l'amour et l'indéfectible soutien ; Marie Clark pour les judicieux conseils ; Mélissa Sokoloff pour la porte ouverte ; Sophie Jama pour les encouragements ; Pierre Beaudoin et Nelson Henricks pour la *Teranga* ; Paule Maufette et Yves Alavo pour l'exemple et la sincère générosité ; les Québécois et les Montréalais pour l'accueil et le mélange ; les Sénégalais et *Waa Fann-Hock* pour la source et la matière.

Une profonde pensée à ma mère, pour le goût des mots et l'amour des livres.

Yal na jàmm yàgg !

TABLE DES MATIÈRES

AUX ÉDITIONS LA PEUPLADE

FICTIONS

BACCELLI, Jérôme, *Aujourd'hui l'Abîme*, 2014

BOUCHARD, Mylène, *Ma guerre sera avec toi*, 2006

BOUCHARD, Mylène, *La garçonnière*, 2009

BOUCHARD, Mylène, *Ciel mon mari*, 2013

BOUCHARD, Mylène, *La garçonnière (nouvelle édition)*, 2013

BOUCHARD, Sophie, *Cookie*, 2008

BOUCHARD, Sophie, *Les bouteilles*, 2010

BOUCHET, David, *Soleil*, 2015

CANTY, Daniel, *Wigrum*, 2011

CARON, Jean-François, *Nos échoueries*, 2010

CARON, Jean-François, *Rose Brouillard, le film*, 2012

DESCHÊNES, Marjolaine, *Fleurs au fusil*, 2013

DROUIN, Marisol, *Quai 31*, 2011

GUAY-POLIQUIN, Christian, *Le fil des kilomètres*, 2013

LAVERDURE, Bertrand, *Bureau universel des copyrights*, 2011

LEBLANC, Suzanne, *La maison à penser de P.*, 2010

LÉVEILLÉ, J.R., *Le soleil du lac qui se couche*, 2013

Mc CABE, Alexandre, *Chez la Reine*, 2014

SCALI, Dominique, *À la recherche de New Babylon*, 2015

TURCOT, Simon Philippe, *Le désordre des beaux jours*, 2007

VERREAULT, Mélissa, *Voyage léger*, 2011

VERREAULT, Mélissa, *Point d'équilibre*, 2012

VERREAULT, Mélissa, *L'angoisse du poisson rouge*, 2014

POÉSIE

ACQUELIN, José, Louise DUPRÉ, Teresa PASCUAL, Vìctor SUNYOL, *Comme si tu avais encore le temps de rêver*, 2012

BERNIER, Mélina, *Amour debout*, 2012

CARON, Jean-François, *Des champs de mandragores*, 2006

DAWSON, Nicholas, *La déposition des chemins*, 2010

DULUDE, Sébastien, *ouvert l'hiver*, 2015

DUMAS, Simon, *La chute fut lente interminable puis terminée*, 2008

GAUDET-LABINE, Isabelle, *Mue*, 2011

GAUDET-LABINE, Isabelle, *Pangée*, 2014

GILL, Marie-Andrée, *Béante*, 2012

GILL, Marie-Andrée, *Béante (réédition)*, 2015

GRAVEL-RENAUD, Geneviève, *Ce qui est là derrière*, 2012

LUSSIER, Alexis, *Les bestiaires*, 2007

NEVEU, Chantal, *mentale,* 2008

NEVEU, Chantal, *coït*, 2010

OUELLET TREMBLAY, Laurance, *Était une bête,* 2010

OUELLET TREMBLAY, Laurance, *salut Loup!*, 2014

OUELLET TREMBLAY, Laurance, *Était une bête (réédition)*, 2015

SAGALANE, Charles, [29]*carnet des indes,* 2006
SAGALANE, Charles, [68]*cabinet de curiosités,* 2009
SAGALANE, Charles, [51]*antichambre de la galerie des peintres,* 2011
SAGALANE, Charles, [47]*atelier des saveurs,* 2013
TURCOT, François, *miniatures en pays perdu,* 2006
TURCOT, François, *Derrière les forêts,* 2008
TURCOT, François, *Cette maison n'est pas la mienne,* 2009
TURCOT, François, *Mon dinosaure,* 2013

RÉCIT

APOSTOLIDES, Marianne, *Voluptés*, 2015

CANTY, Daniel, *Les États-Unis du vent*, 2014

LA CHANCE, Michaël, *Épisodies*, 2014

LAVOIE, Frédérick, *Allers simples : Aventures journalistiques en Post-Soviétie*, 2012

HORS SÉRIE

CANTY, Daniel, Caroline LONCOL DAIGNEAULT, Chantal NEVEU, Jack STANLEY, *Laboratoire parcellaire*, 2011

DUCHARME, Thierry, *Camera lucida : entretien avec Hugo Latulippe*, 2009

INKEL, Stéphane, *Le paradoxe de l'écrivain : entretien avec Hervé Bouchard*, 2008

GRANDS CAHIERS

LÉVESQUE, Nicolas, *Lutte*, 2013

SOLEIL

Soleil est le cinquante-sixième titre publié par La Peuplade,
fondée en 2006 par Mylène Bouchard
et Simon Philippe Turcot.

Design graphique et mise en page
Atelier Mille Mille

Révision linguistique
Luba Markovskaia

Correction d'épreuves
Sophie Gagnon-Bergeron

Couverture
Atelier Mille Mille

Photographie
Transit, David Bouchet

Soleil a été mis en page
en Lyon, caractère dessiné par Kai Bernau
en 2009 et en Din Next, caractère dessiné
par Akira Kobayashi en 2009.

Achevé d'imprimer en août 2015
sur les presses de l'imprimerie Gauvin à Gatineau
pour les Éditions La Peuplade.